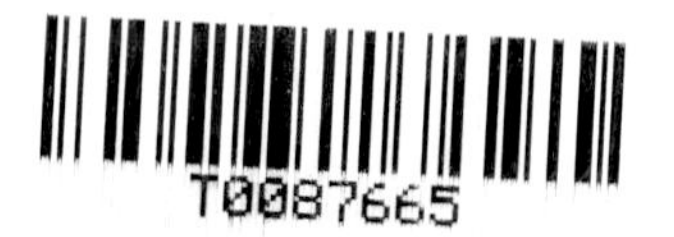

Õe mälestuseks

HELLETUSED

Aino Tamme ja Miina Härma järgi

In memory of my sister

CHILDHOOD MEMORY (Herding Calls)

From motifs of Aino Tamm and Miina Härma

Veljo Tormis

1982

Segakoorile

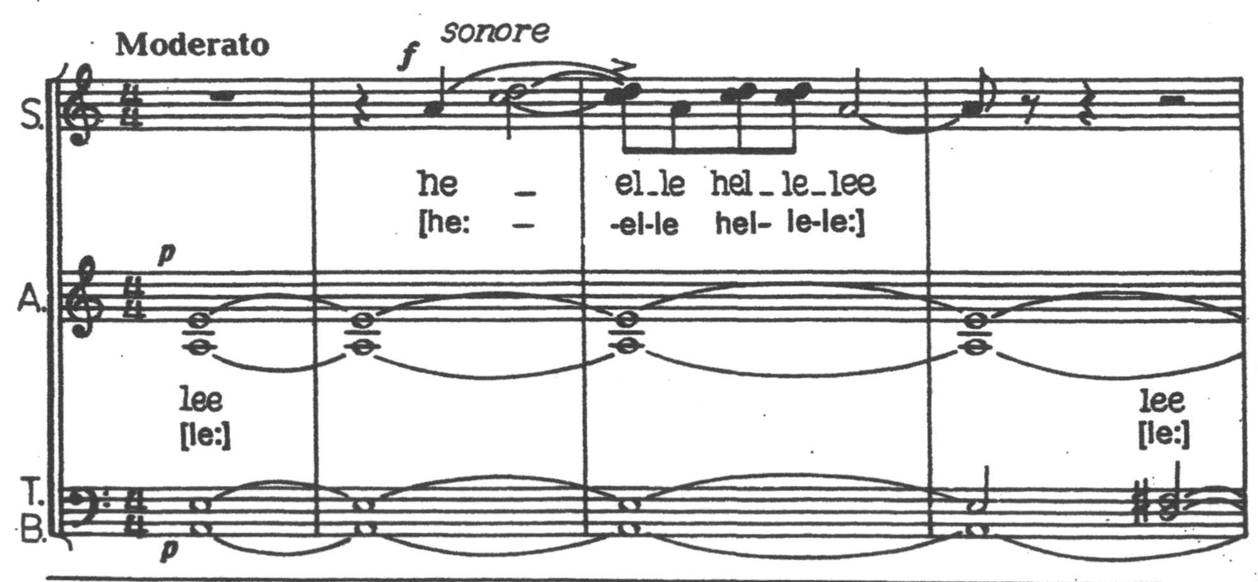

Algselt meeskoorile. Originally for male choir.

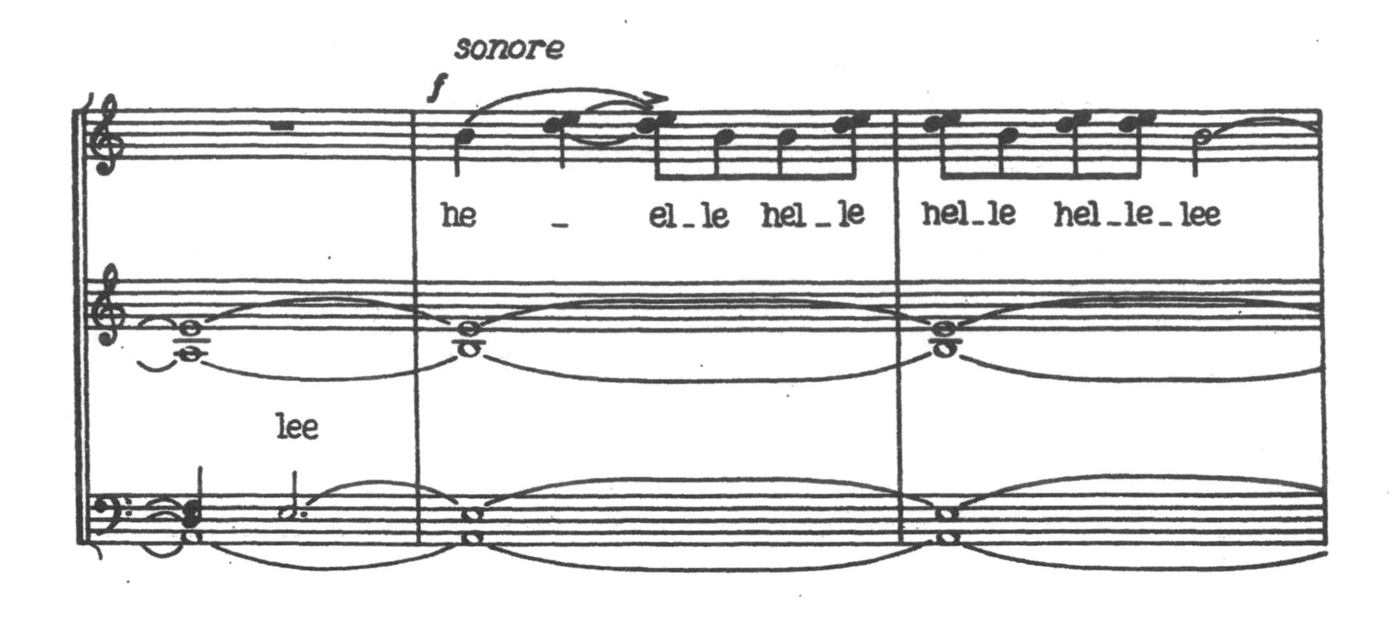
sonore
f
he - el - le hel - le hel - le hel - le - lee
lee

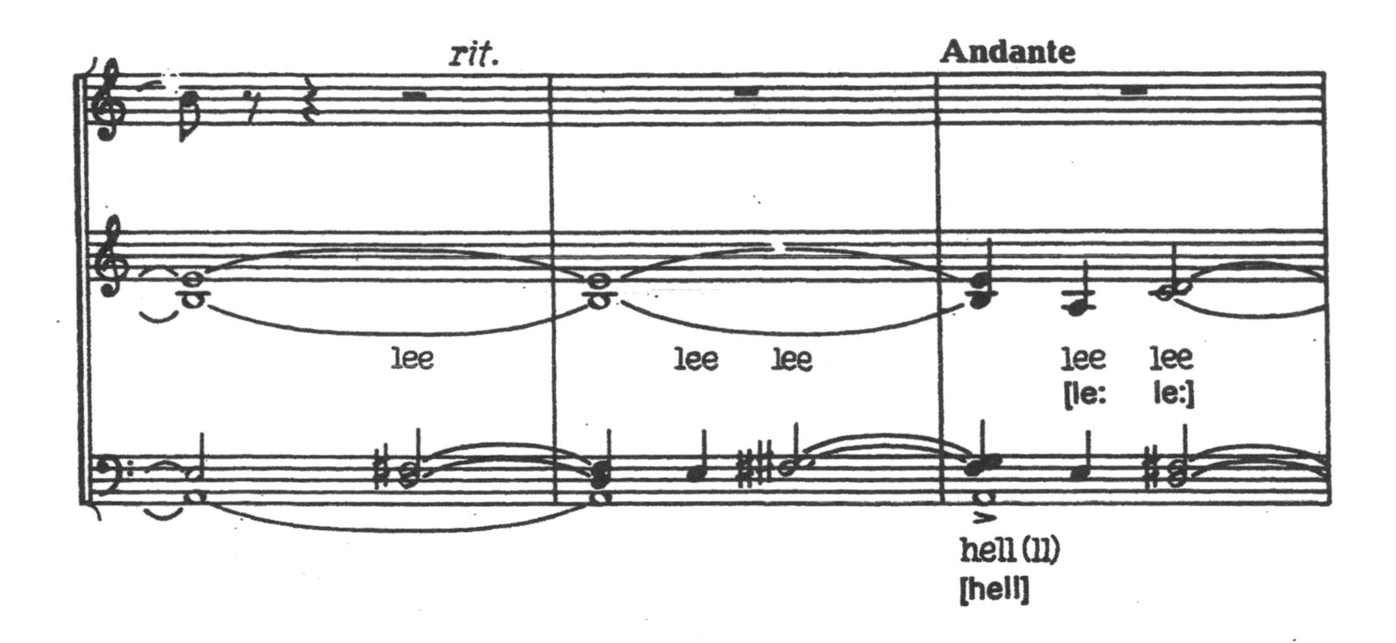
rit.
Andante
lee
lee lee
lee lee
[le: le:]
hell (ll)
[hell]

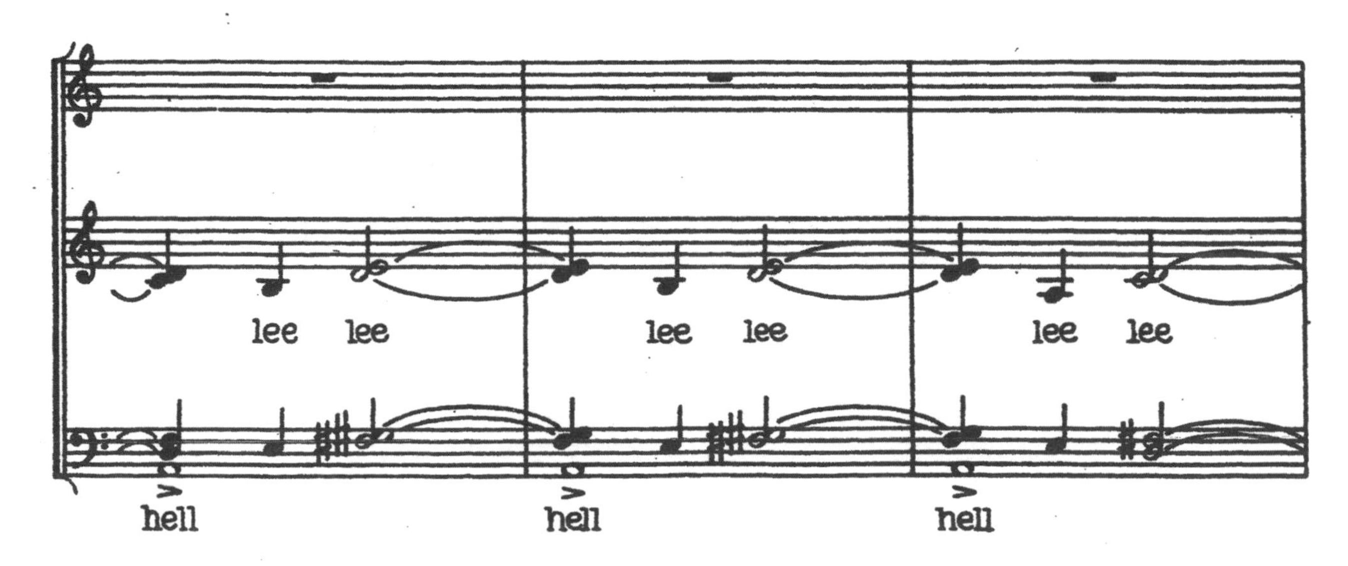
lee lee
lee lee
lee lee
hell
hell
hell

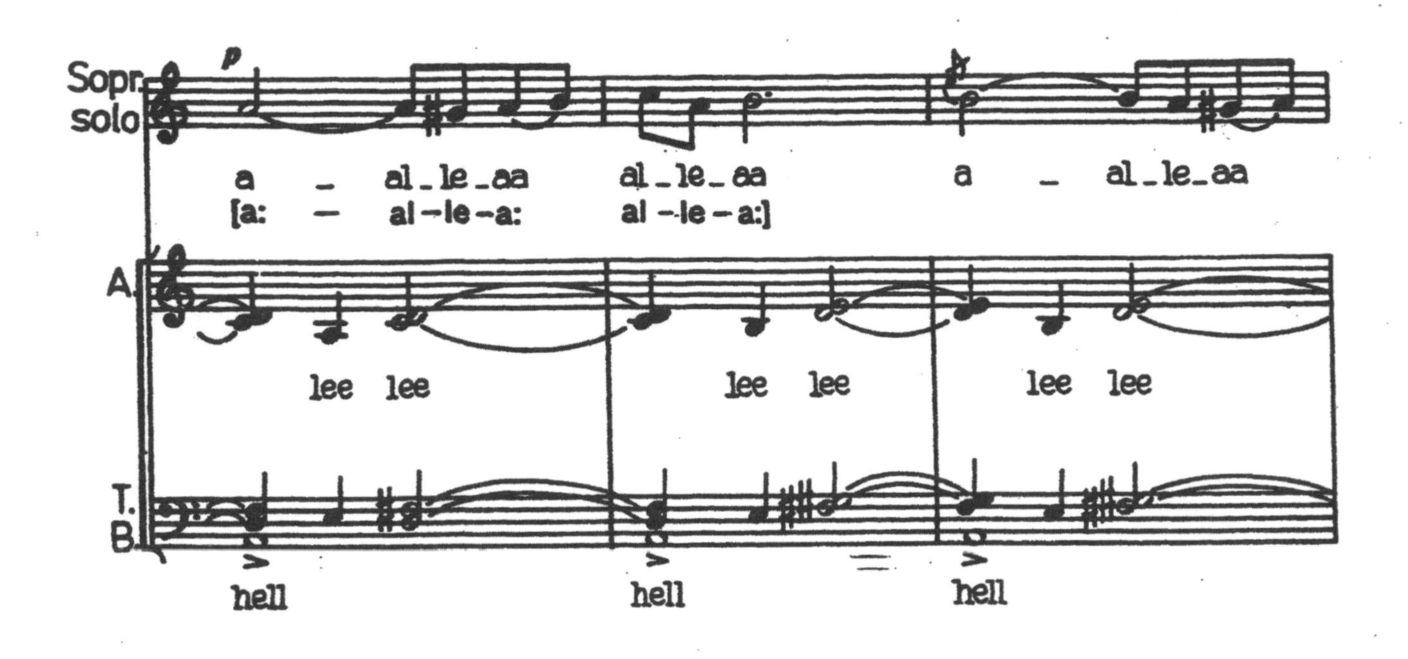
Sopr. solo
p
a – al_le_aa al_le_aa a – al_le_aa
[a: – al–le–a: al–le–a:]
A.
lee lee lee lee lee lee
T.
B.
hell hell hell

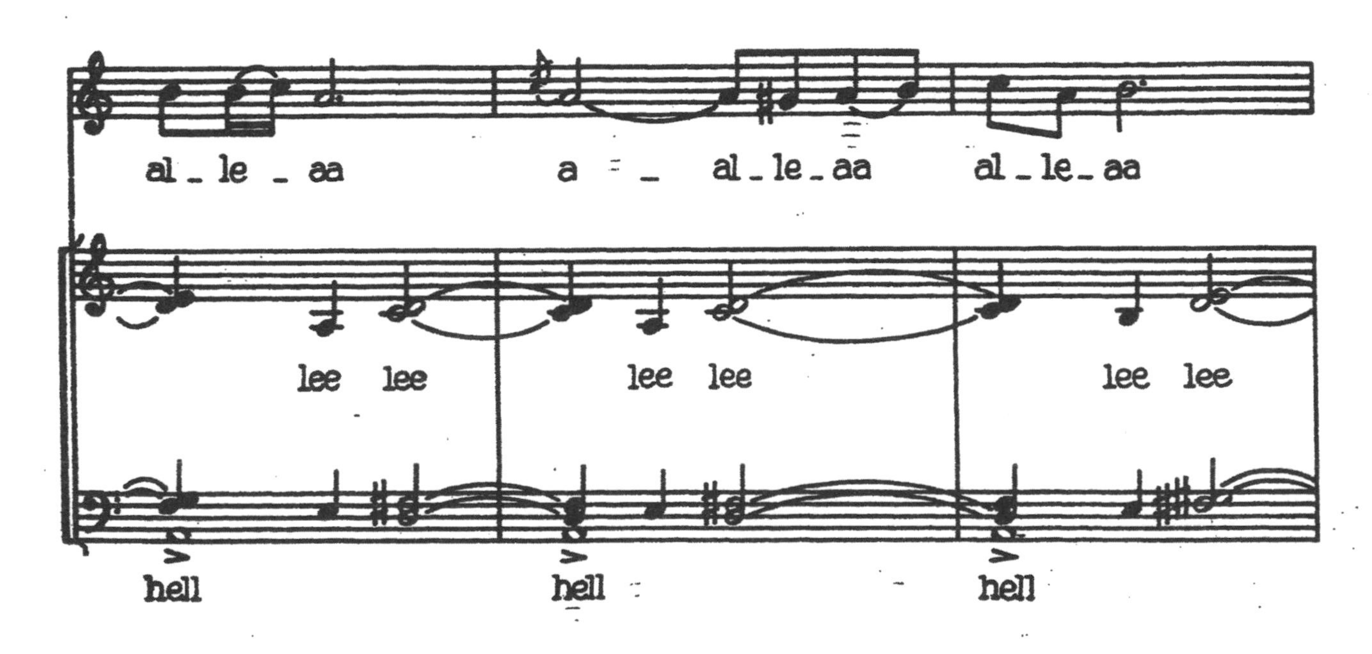
al_le_aa a – al_le_aa al_le_aa
lee lee lee lee lee lee
hell hell hell

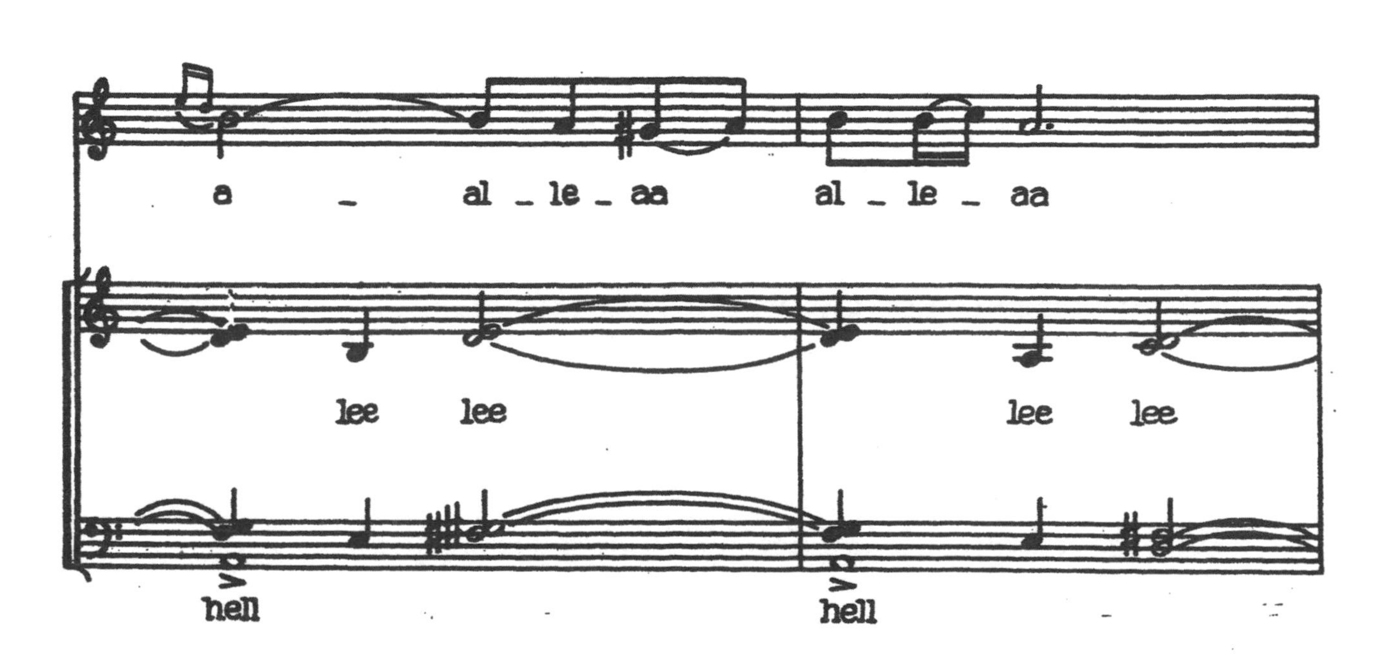
a – al_le_aa al_le_aa
lee lee lee lee
hell hell

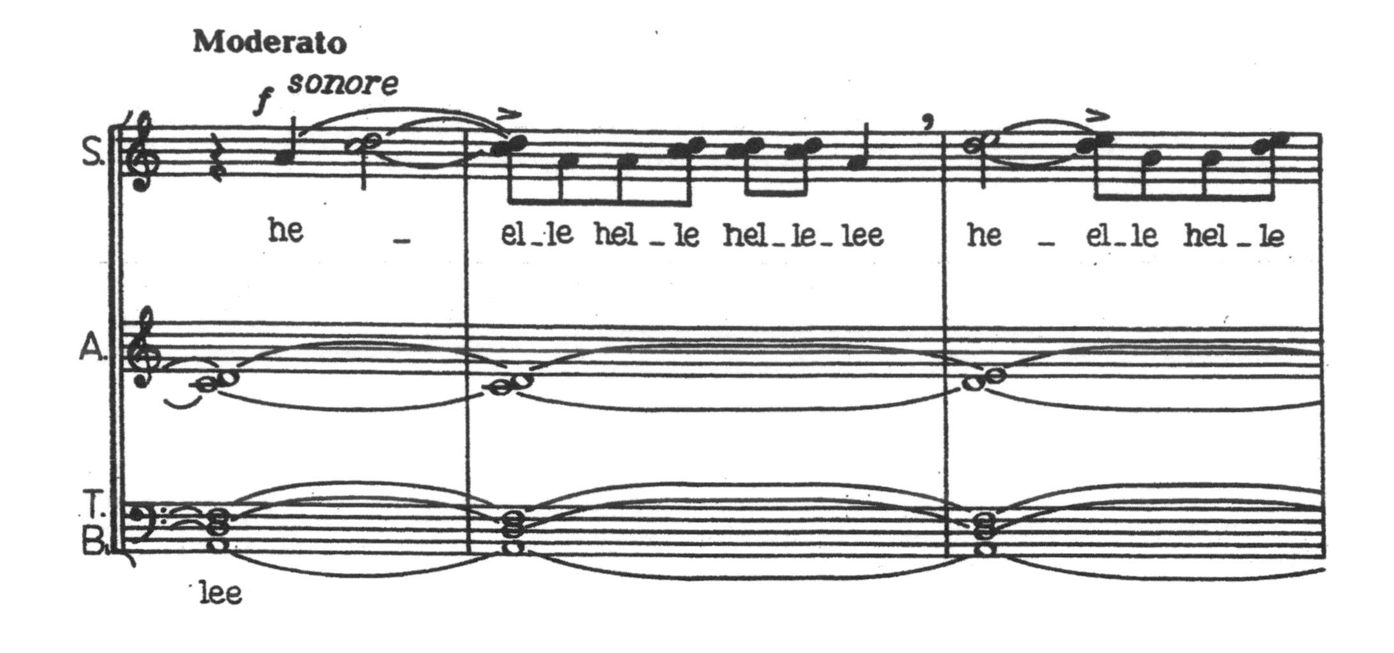
Moderato
sonore
f
S.
A.
T.
B.
he – el_le hel_le hel_le_lee he – el_le hel_le
lee

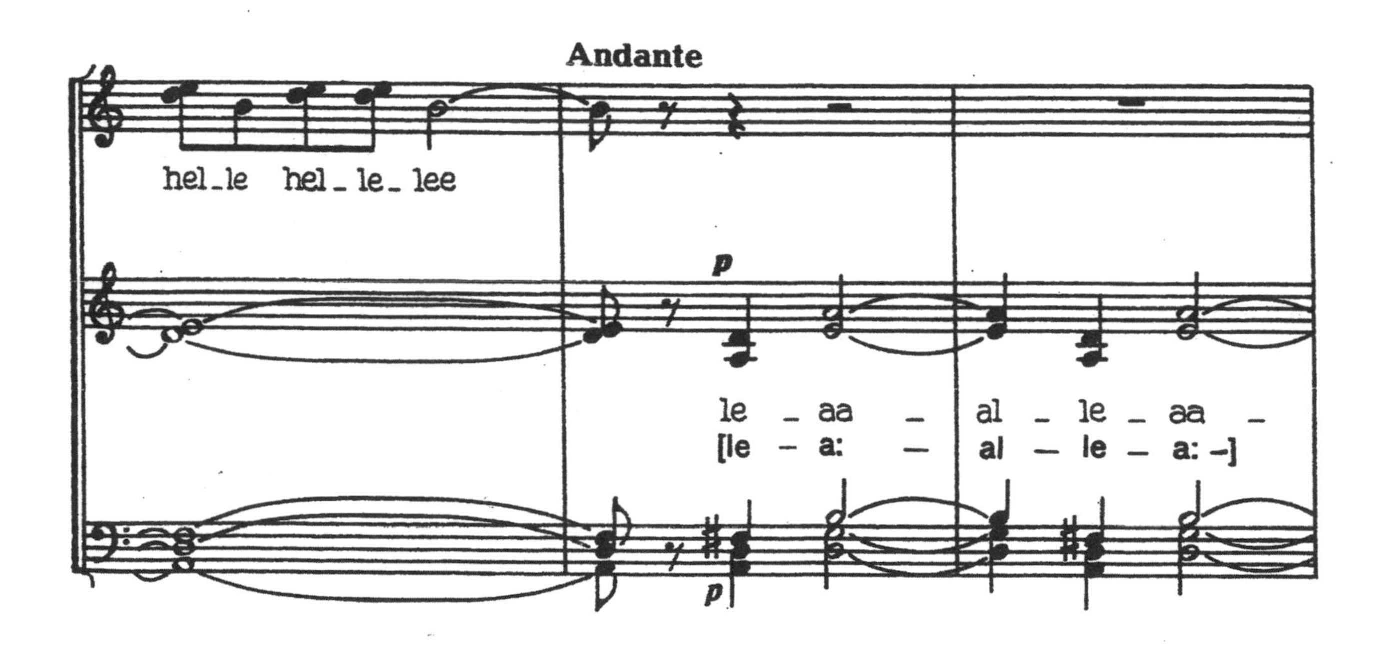
Andante
hel_le hel_le_lee
p
le _ aa – al _ le _ aa –
[le – a: – al – le – a: –]
p

mf
Sopr.
solo
al _ le _ aa al _ le _ aa al _ le _ aa al _ le _ aa
A.
al – le – aa – al – le – aa –
T.
B.

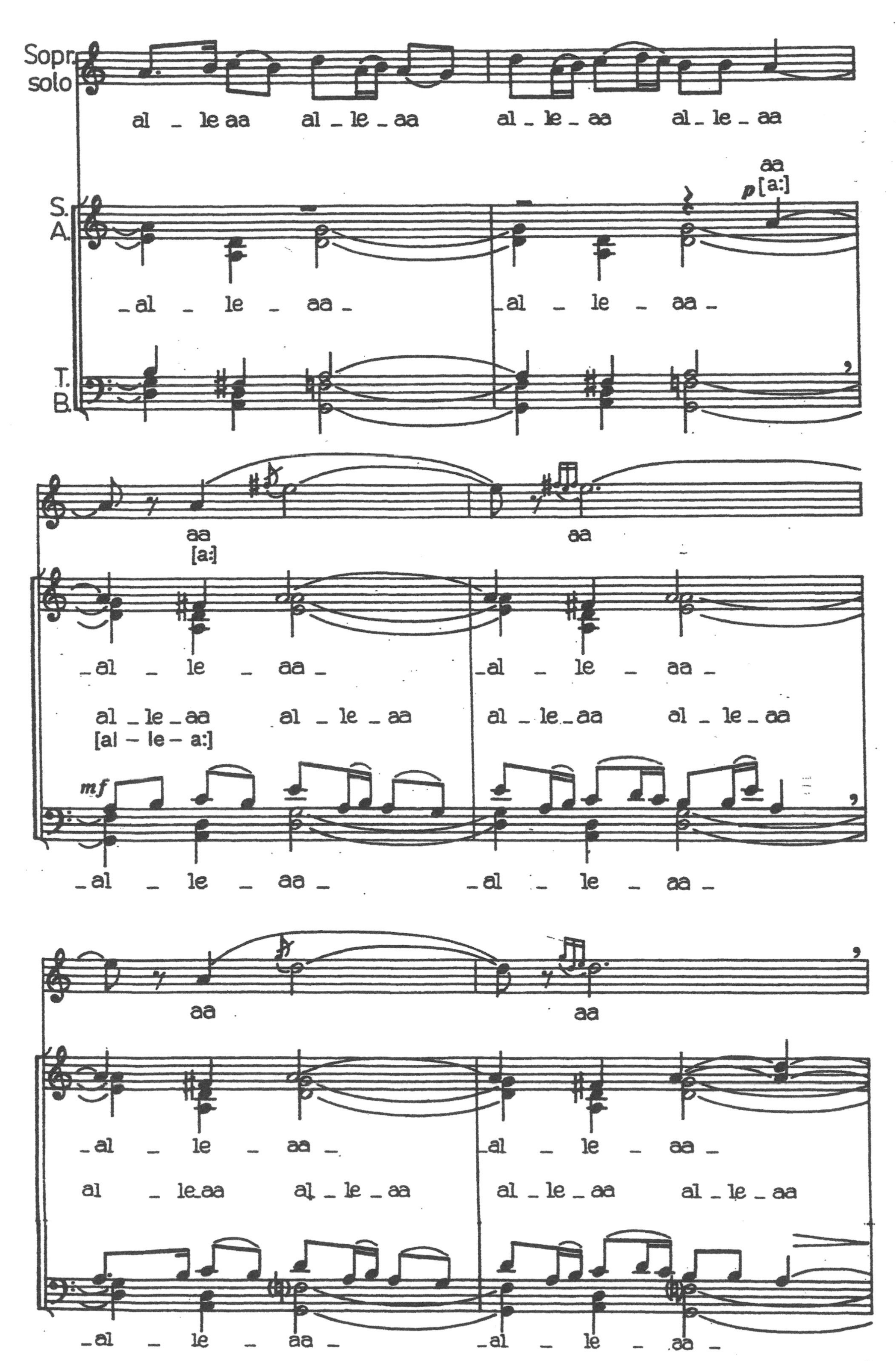
Sopr. solo
al _ le aa al _ le _ aa al _ le _ aa al _ le _ aa
S.
A.
aa
p [a:]
_al _ le _ aa _ _al _ le _ aa _
T.
B.
aa
[a:]
aa
_al _ le _ aa _ _al _ le _ aa _
al _ le _ aa al _ le _ aa al _ le _ aa al _ le _ aa
[al – le – a:]
mf
_al _ le _ aa _ _al _ le _ aa _
aa
aa
_al _ le _ aa _ _al _ le _ aa _
al _ le.aa al _ le _ aa al _ le _ aa al _ le _ aa
_al _ le _ aa _ _al _ le _ aa _

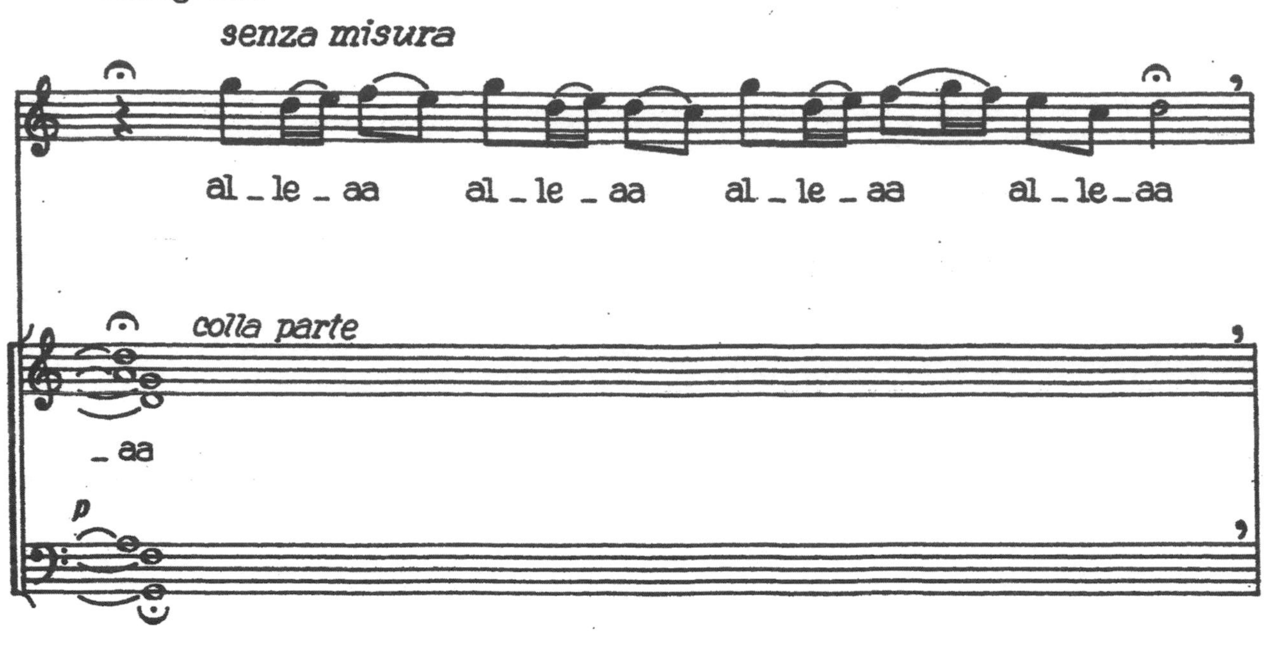

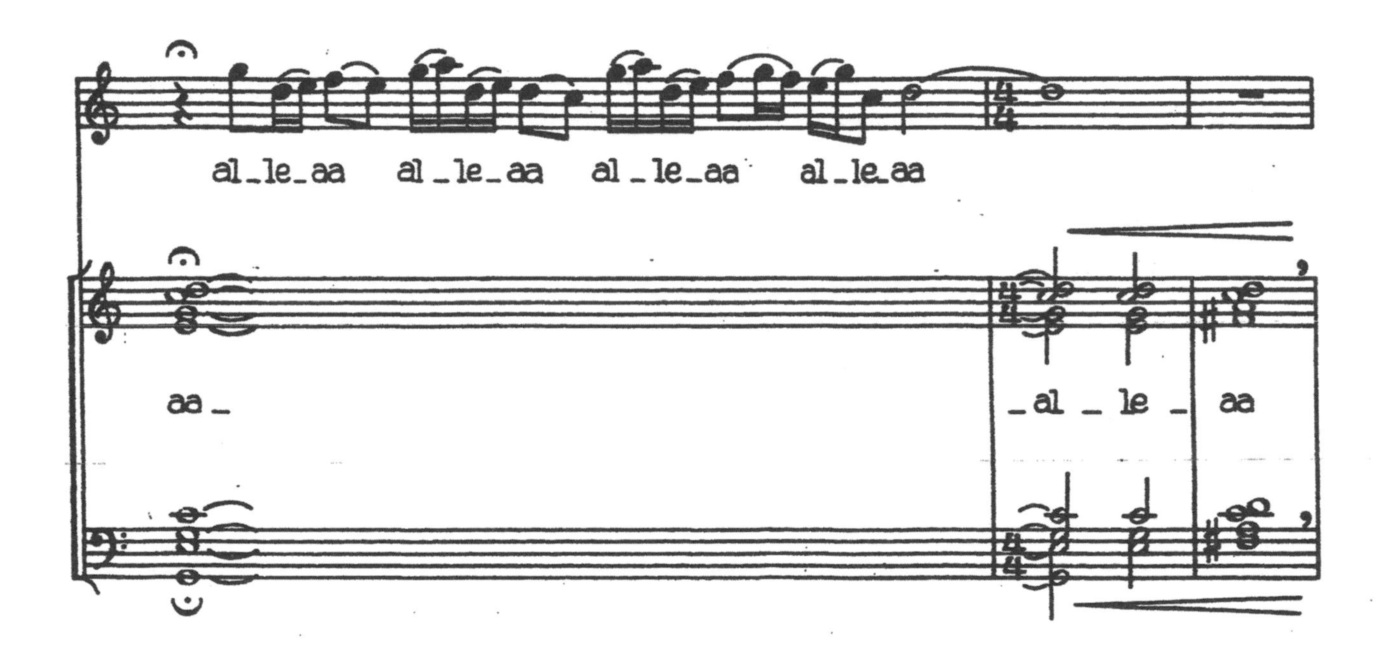

Moderato

a _ al _ le _ aa al _ le _ aa al _ le _ aa al _ le _ aa

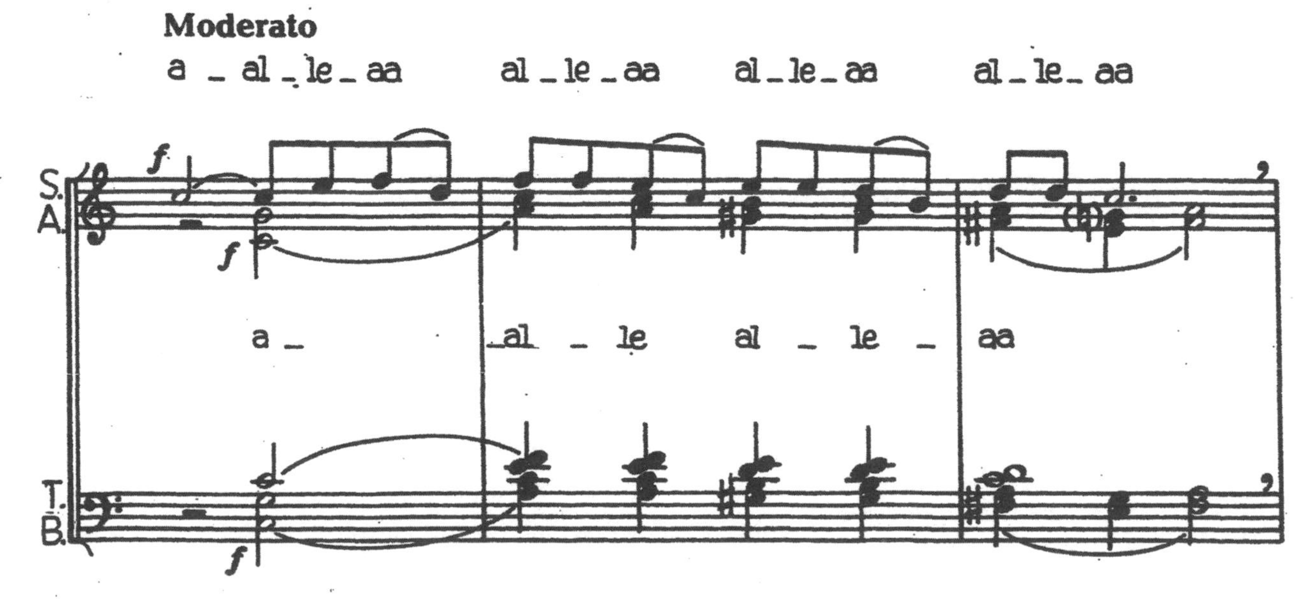

a _ al _ le _ aa al _ le _ aa al _ le _ aa al _ le _ aa
a _ _al _ le al _ le _ aa
Poco allegretto
a _ _ al _ le al _ le al _ le _ aa al _ le _ aa al _ le _ aa
a _ _ al _ le al _ le al _ le _ aa al _ le _ aa al _ le _ aa
tuu - tu-luu tuu - tuu - luu - tu-luu
[tu: - tu - lu:]
a _ _ al _ le al _ le al _ le _ aa al _ le _ aa al _ le _ aa
tuu - tu-luu tuu - tuu - luu - tu-luu

Moderato
f
a _ al _ le _ aa
al _ le _ aa
al _ le _ aa
al _ le _ aa
p
a _
_al _ le
al _ le _
aa
p
a _ al_le_aa
al_le_aa
al_le_aa
al_le_aa
a _
_al _ le
al _ le _
aa
f
aa...
f
he _
_el _ le
hel _ le
hel _ le
hel _ le
he _
f

_el _ le hel _ le _ lee
lee
he _
p
al _ le _ aa
al_le_aa
sub.pp
_el _ le hel _ le _ lee
he _
_el _ le hel _ le _ lee
sub.pp
al_le_aa -
al_le_aa
f
al _ le _
lee
he _
_el _ le hel _ le _ lee

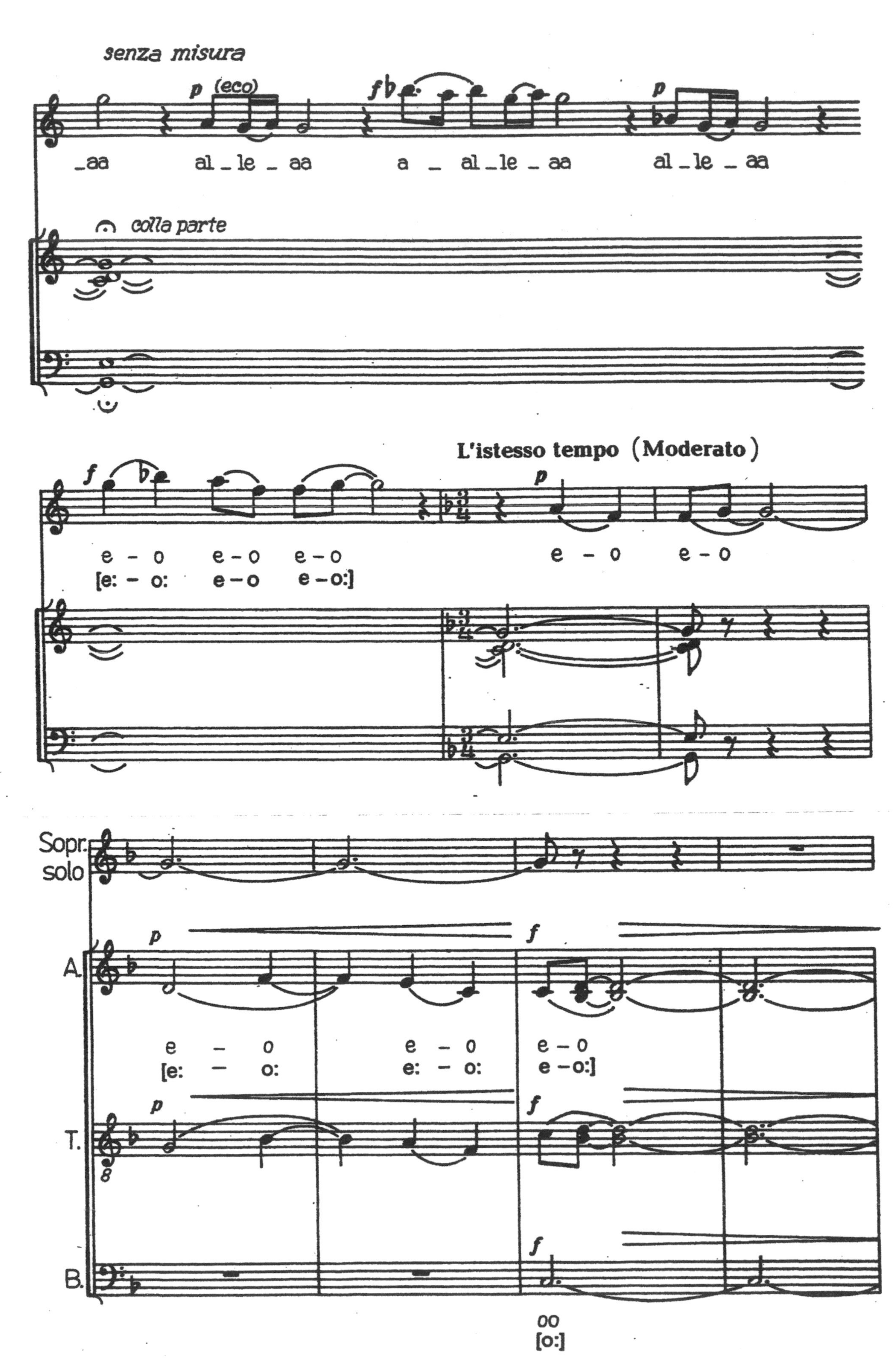
senza misura
p (eco)
f
p
_aa al _ le _ aa a _ al _ le _ aa al _ le _ aa
colla parte
L'istesso tempo (Moderato)
f
p
e - o e - o e - o
[e: - o: e - o e - o:]
e - o e - o
Sopr. solo
A.
p
f
e - o e - o e - o
[e: - o: e: - o: e - o:]
T.
p
f
B.
f
oo
[o:]

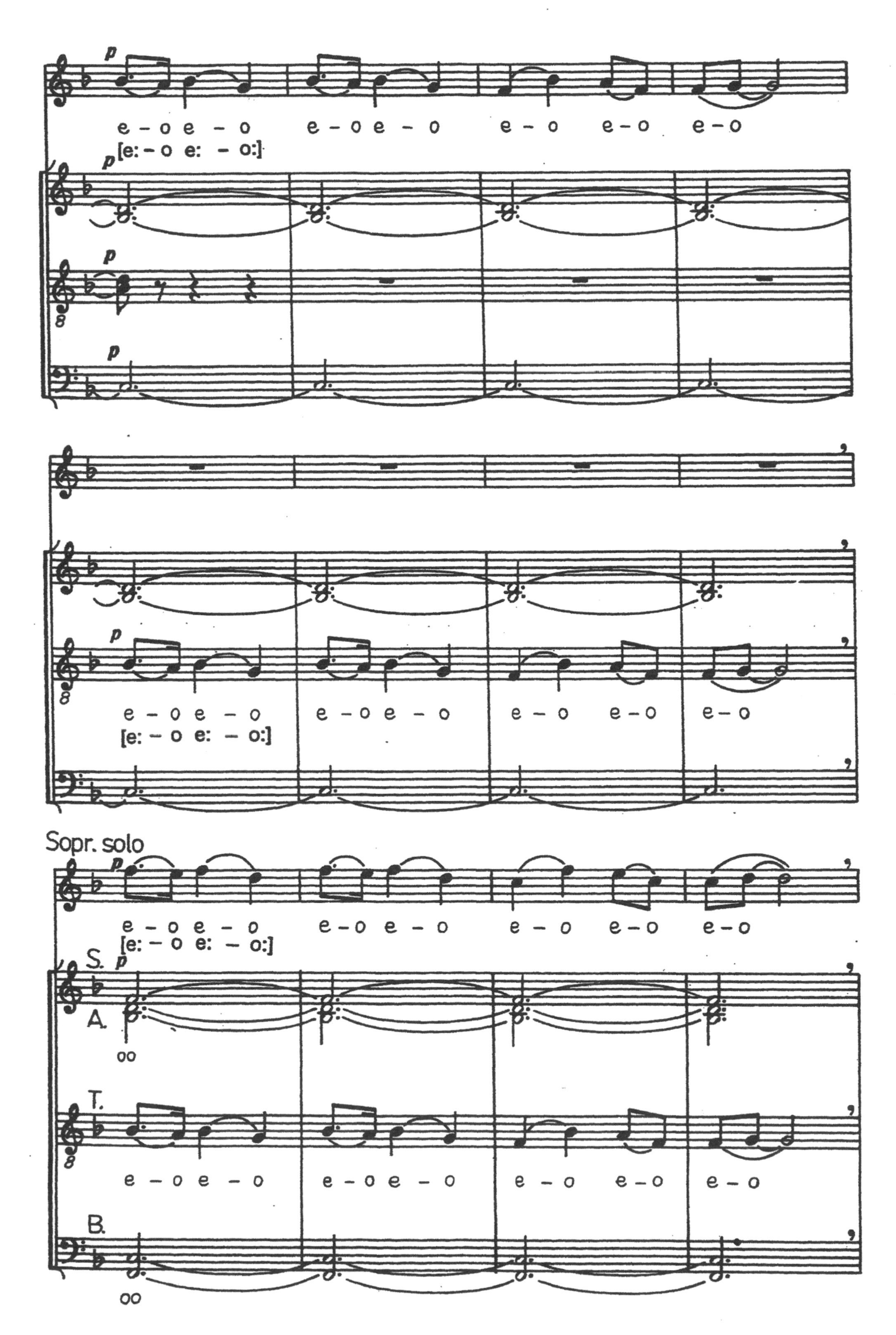
p
e – o e – o
[e: – o e: – o:]
e – o e – o
e – o
e – o
e – o
p
p
p
p
e – o e – o
[e: – o e: – o:]
e – o e – o
e – o
e – o
e – o
Sopr. solo
p
e – o e – o
[e: – o e: – o:]
e – o e – o
e – o
e – o
e – o
S.
p
A.
oo
T.
e – o e – o
e – o e – o
e – o
e – o
e – o
B.
oo

Tempo giusto

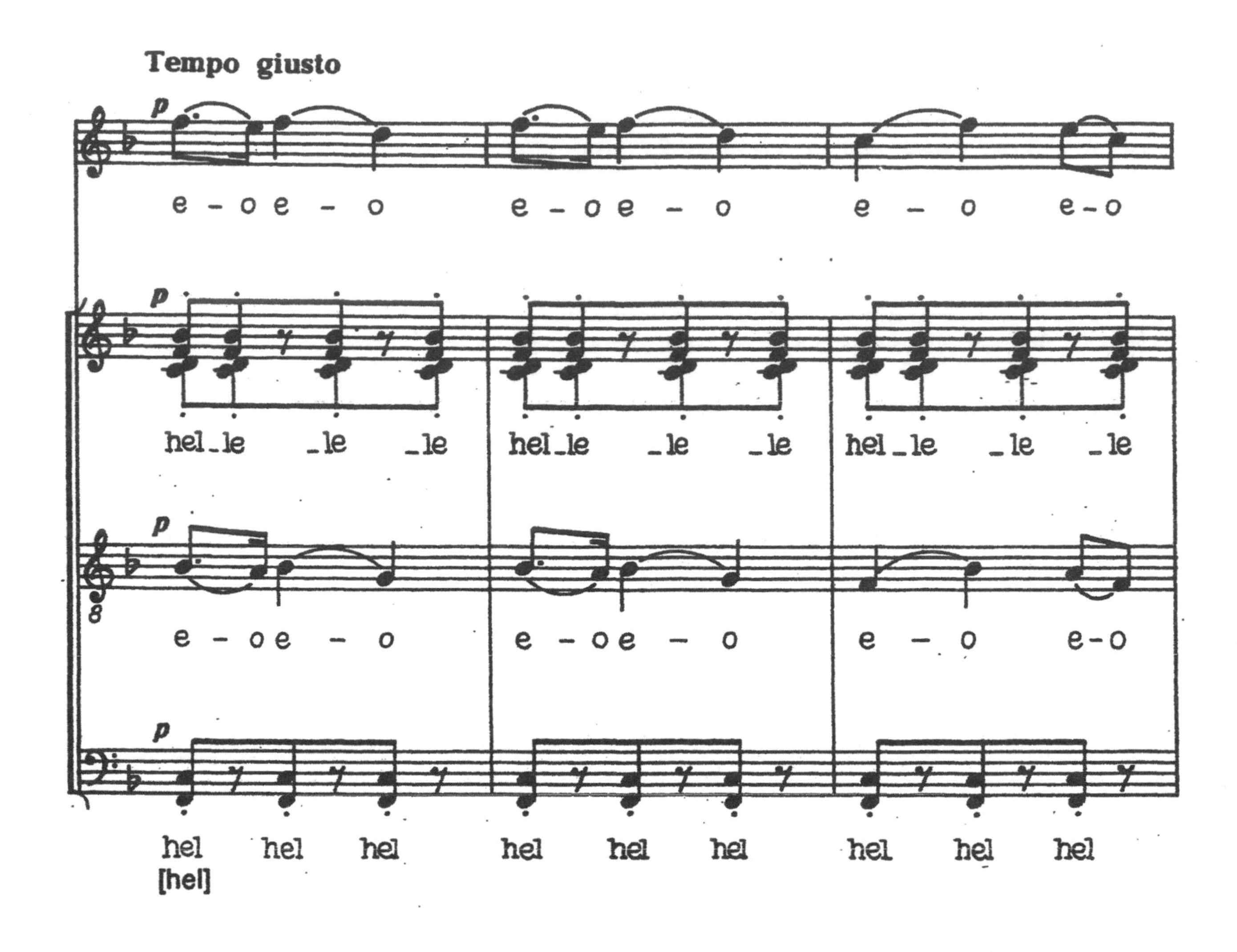

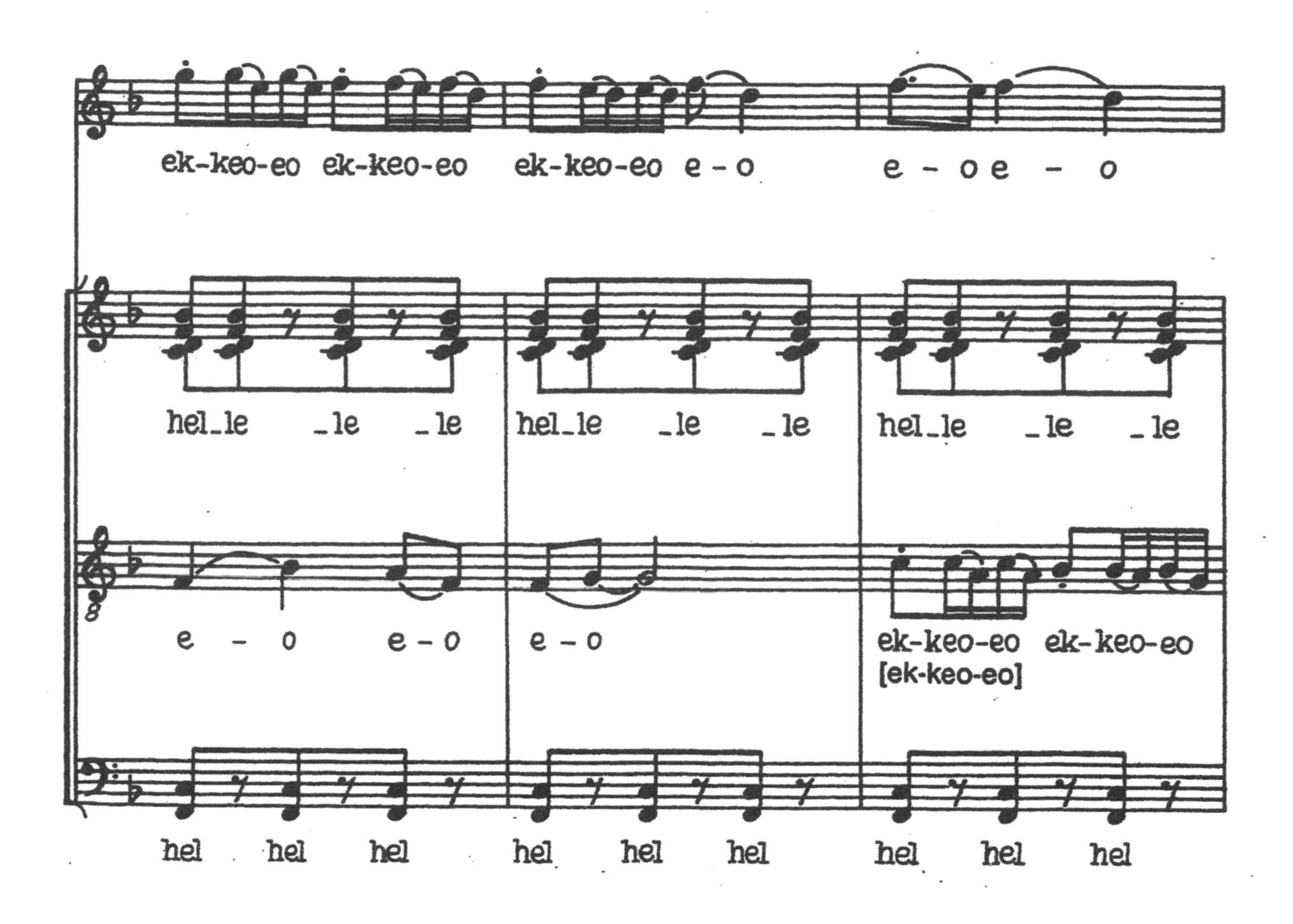
ek-keo-eo ek-keo-eo ek-keo-eo e - o e - o e - o
hel_le _le _le hel_le _le _le hel_le _le _le
e - o e - o e - o ek-keo-eo ek-keo-eo
[ek-keo-eo]
hel hel hel hel hel hel hel hel hel

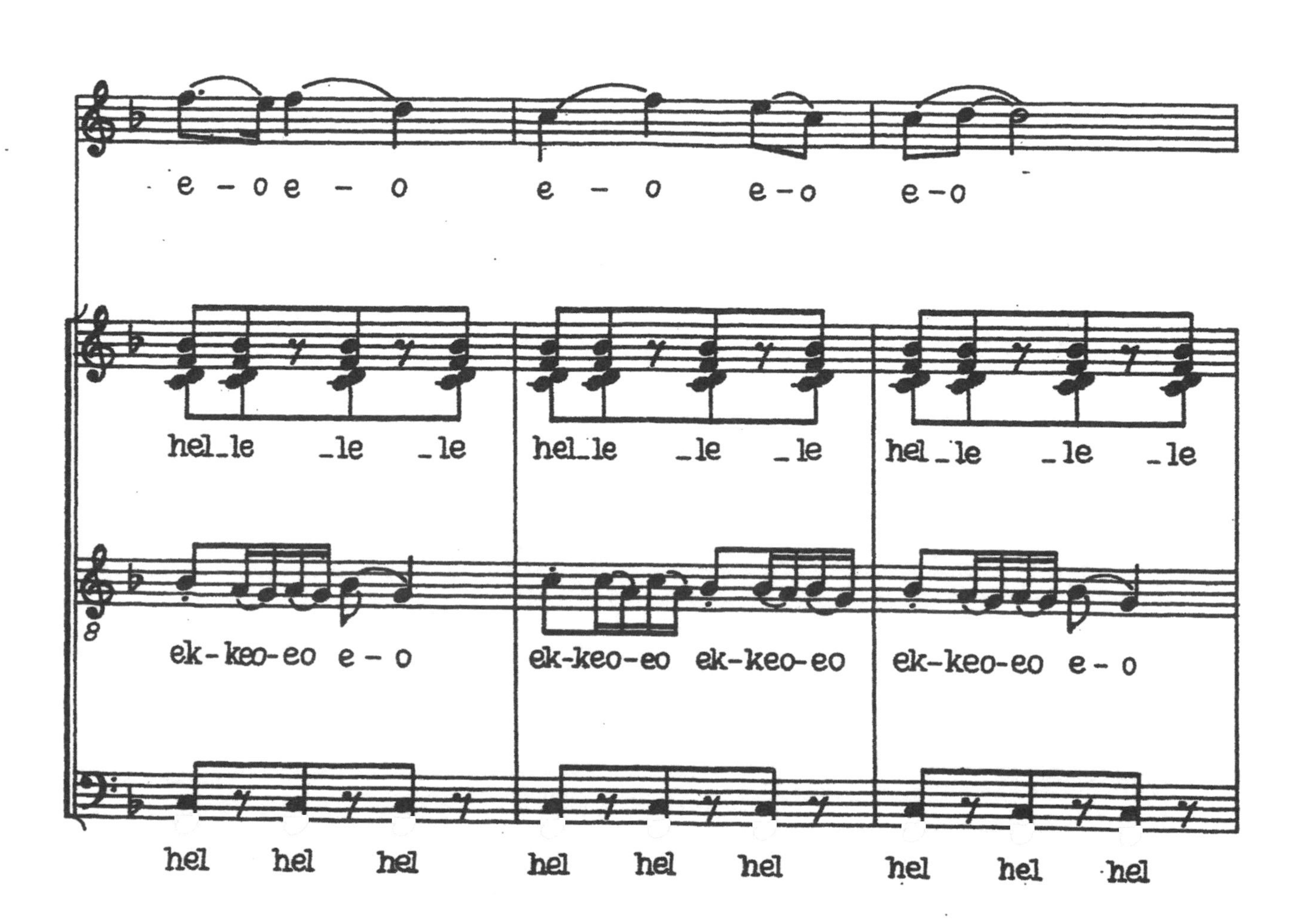
e - o e - o e - o e - o e - o
hel_le _le _le hel_le _le _le hel_le _le _le
ek-keo-eo e - o ek-keo-eo ek-keo-eo ek-keo-eo e - o
hel hel hel hel hel hel hel hel hel

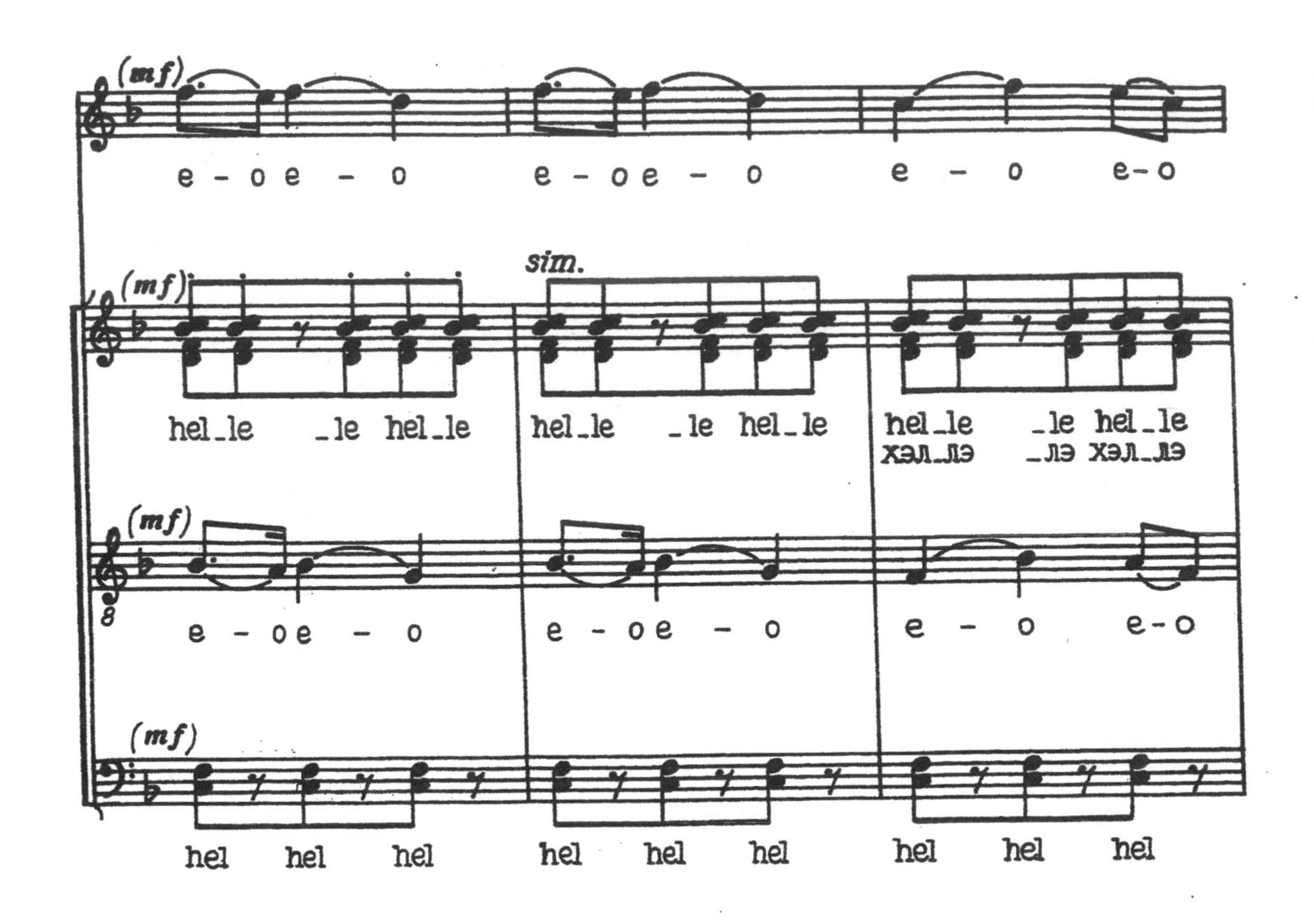
(mf)
e - o e - o
e - o e - o
e - o
e-o
sim.
hel_le _le hel_le
hel_le _le hel_le
hel_le _le hel_le
хэл_лэ _лэ хэл_лэ
e - oe - o
e - oe - o
e - o e-o
hel hel hel
hel hel hel
hel hel hel

e - o
ek-keo-eo ek-keo-eo
ek-keo-eo e - o
hel_le _le hel_le
hel_le _le hel_le
hel_le _le hel_le
e - o
e - oe - o
e - oe - o
hel hel hel
hel hel hel
hel hel hel

ek-keo-eo ek-keo-eo ek-keo-eo e - o e - o e - o
hel_le _le hel_le hel_le _le hel_le hel_le _le hel_le
e - o e - o e - o ek-keo-eo ek-keo-eo
hel hel hel hel hel hel hel hel hel

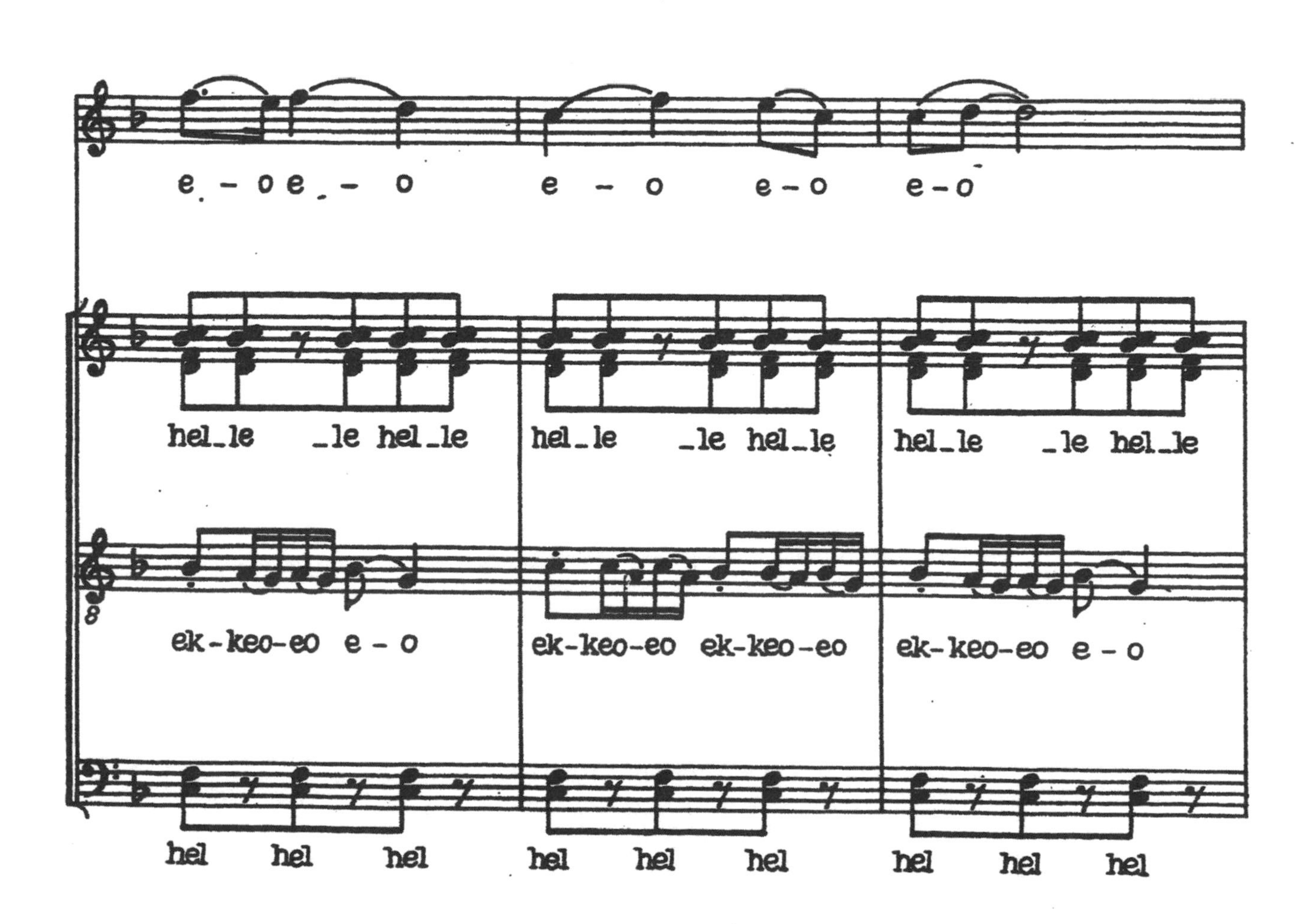
e - o e - o e - o e - o e - o
hel_le _le hel_le hel_le _le hel_le hel_le _le hel_le
ek-keo-eo e - o ek-keo-eo ek-keo-eo ek-keo-eo e - o
hel hel hel hel hel hel hel hel hel

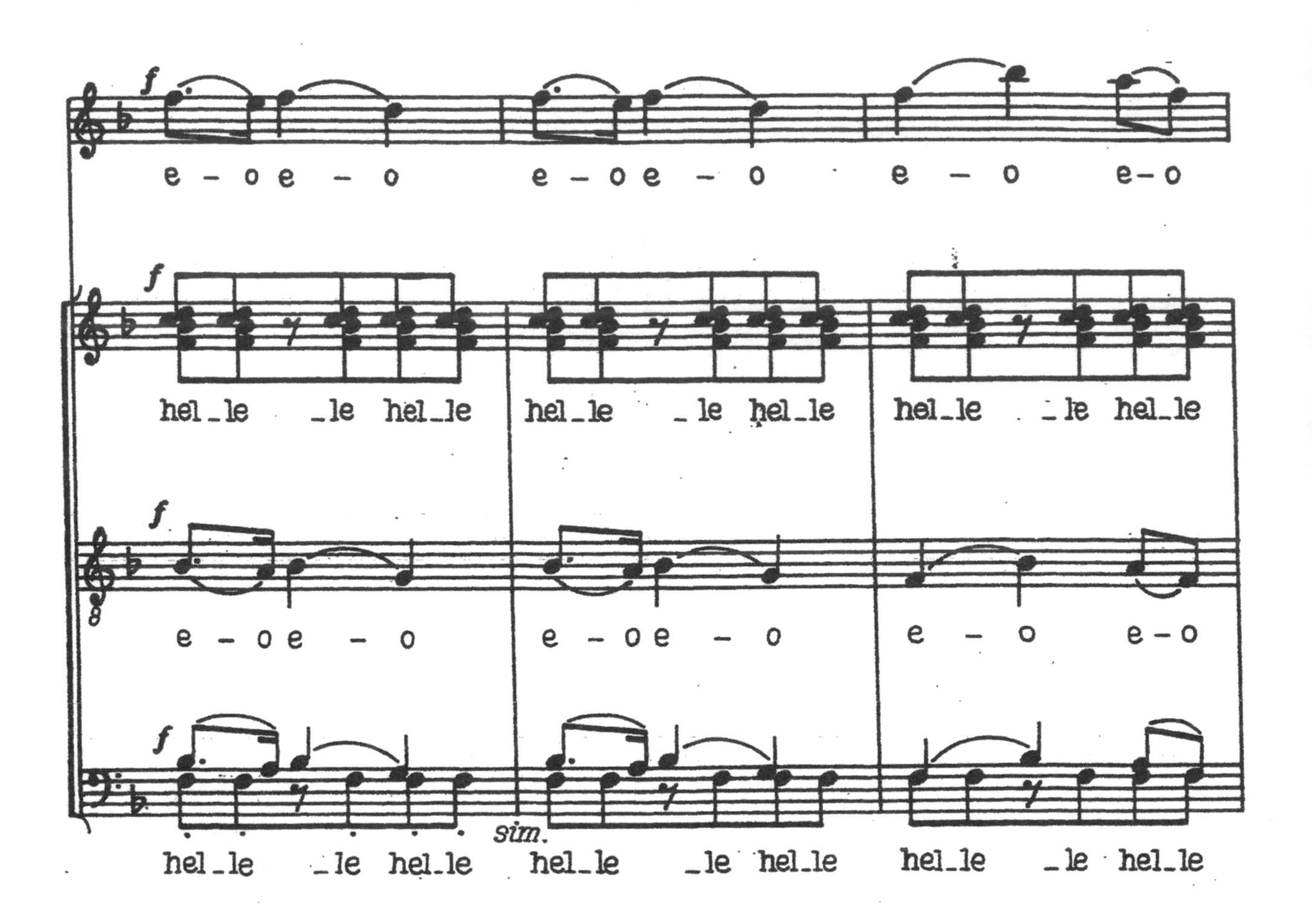
e – o e – o
e – o e – o
e – o
e–o
hel_le
_le hel_le
hel_le
_le hel_le
hel_le
_le hel_le
e – o e – o
e – o e – o
e – o
e – o
hel_le
_le hel_le
hel_le
_le hel_le
hel_le
_le hel_le
sim.

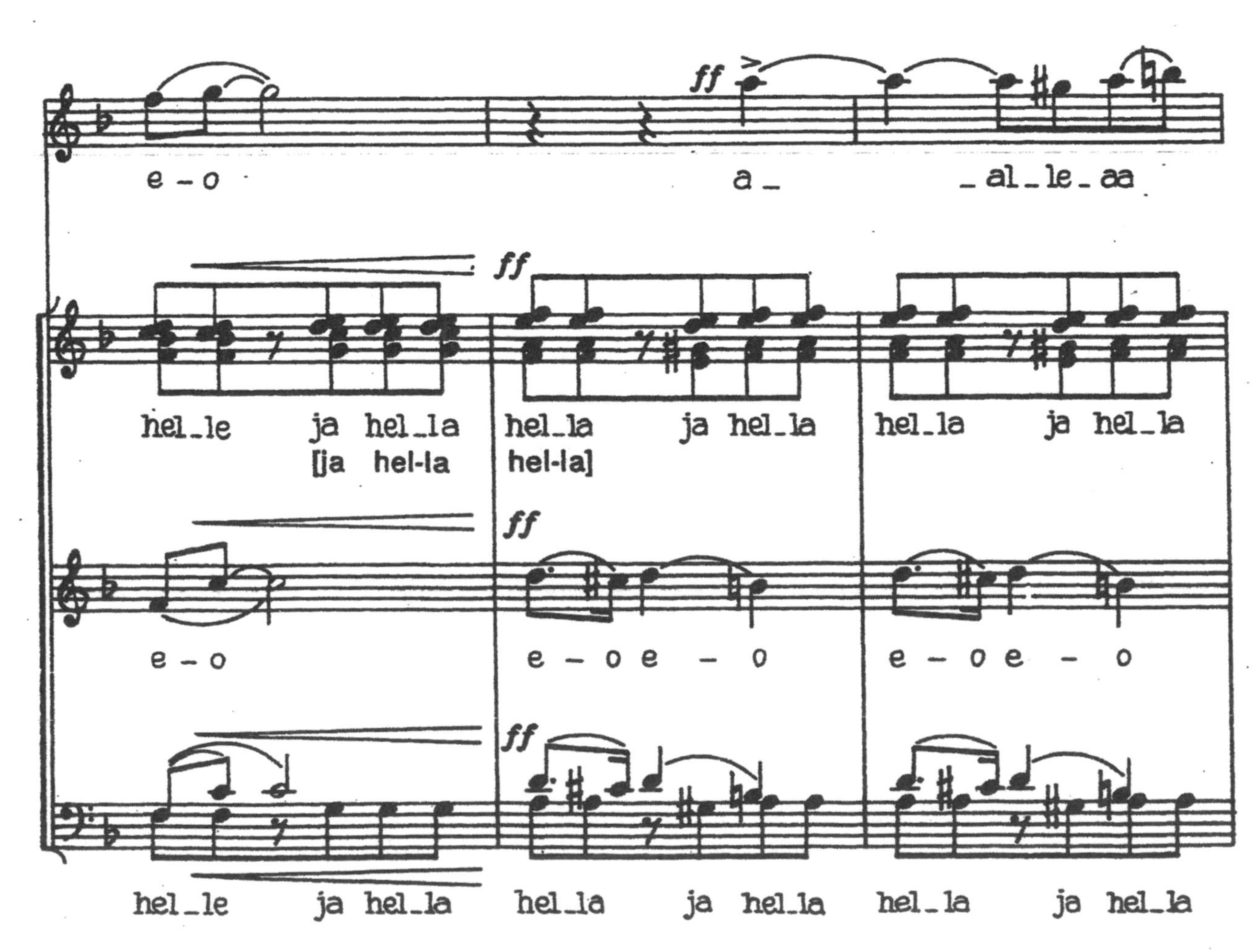
e – o
a _
_ al _ le _ aa
hel_le
ja hel_la
[ja hel-la
hel_la
hel-la]
ja hel_la
hel_la
ja hel_la
e – o
e – o e – o
e – o e – o
hel_le
ja hel_la
hel_la
ja hel_la
hel_la
ja hel_la

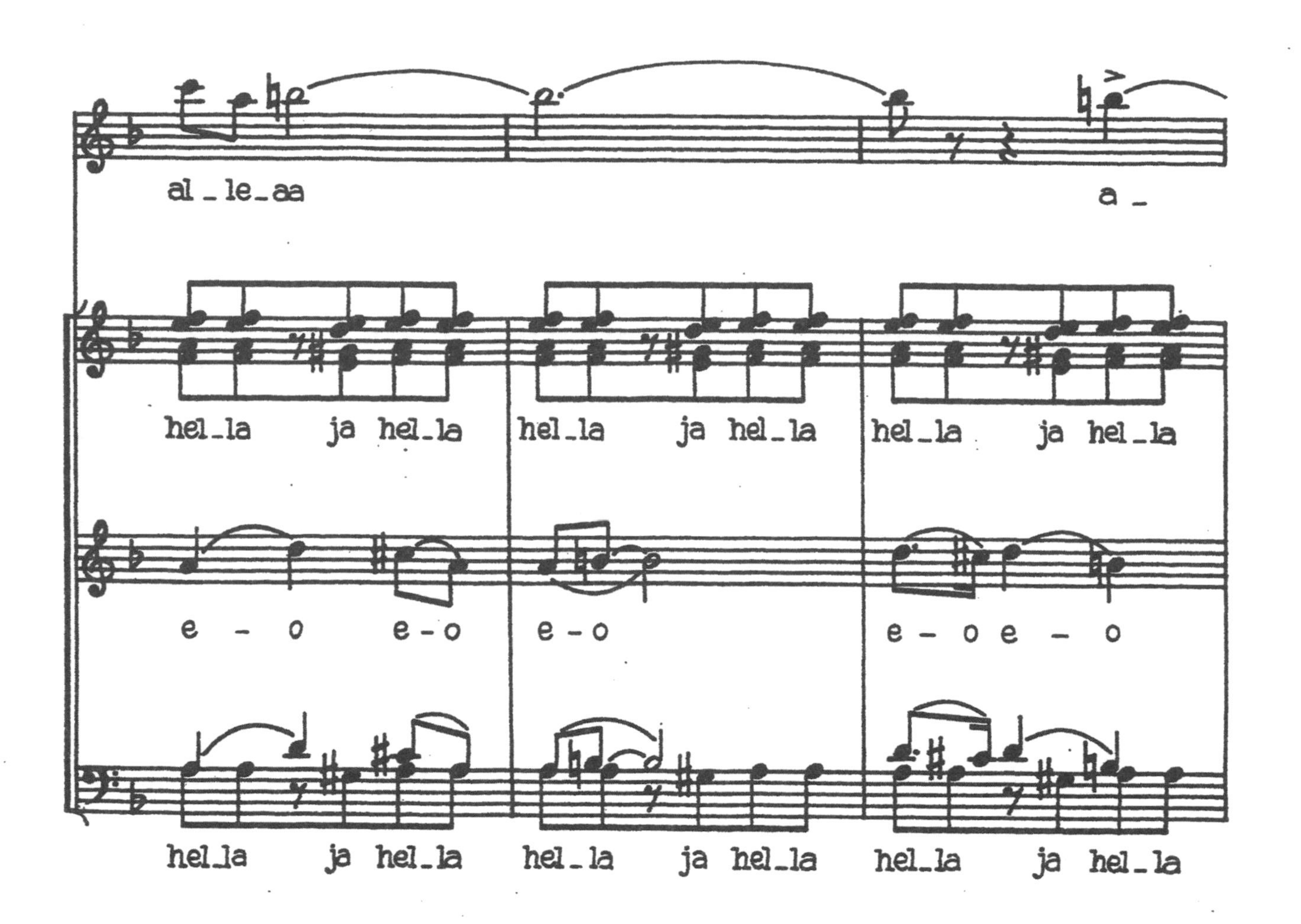
al - le - aa
a -
hel - la ja hel - la hel - la ja hel - la hel - la ja hel - la
e - o e - o e - o e - o e - o
hel - la ja hel - la hel - la ja hel - la hel - la ja hel - la

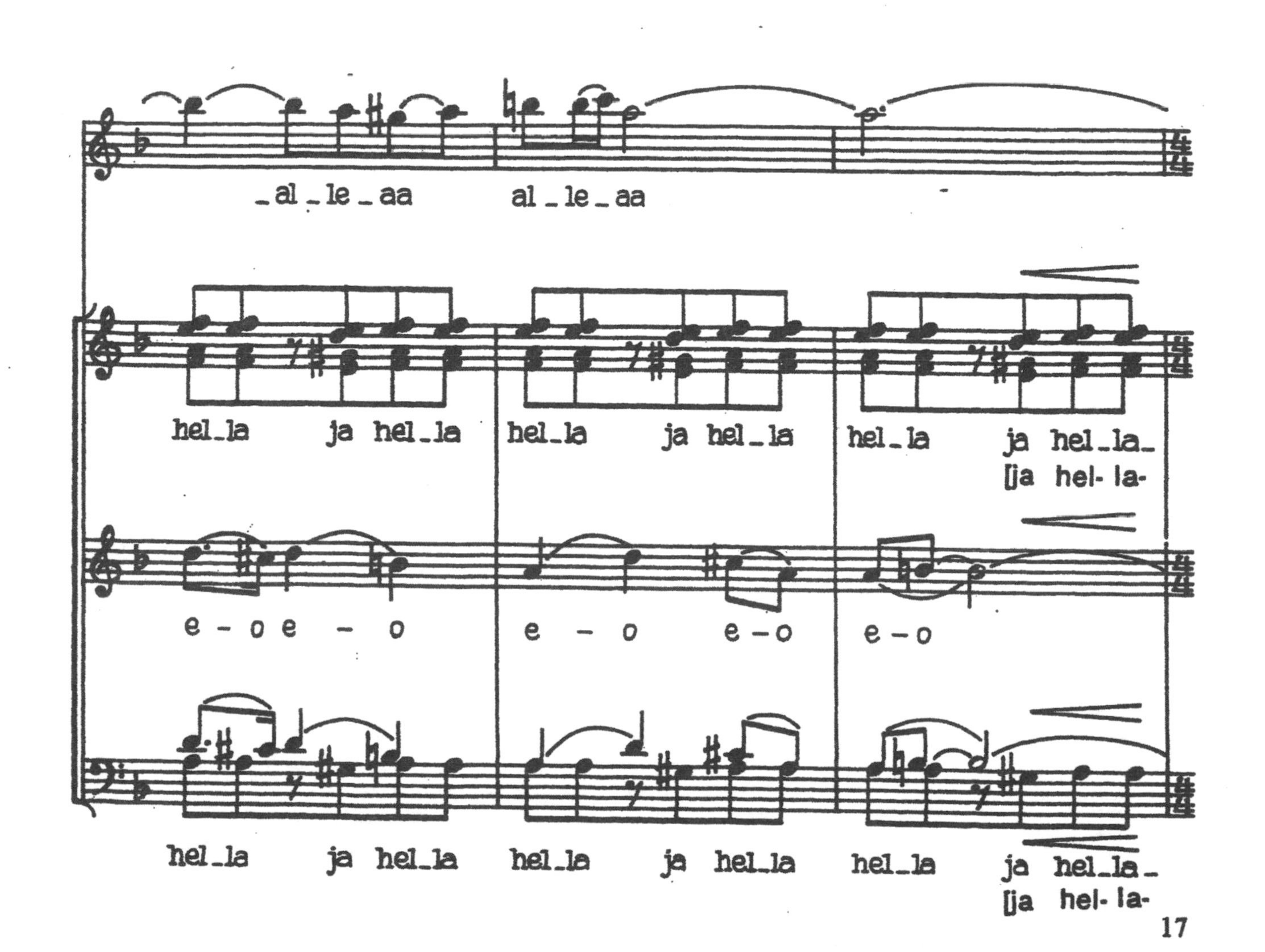
- al - le - aa al - le - aa
hel - la ja hel - la hel - la ja hel - la hel - la ja hel - la -
[ja hel- la-
e - o e - o e - o e - o e - o
hel - la ja hel - la hel - la ja hel - la hel - la ja hel - la -
[ja hel- la-

al _ le _ aa
al _ le _ aa
_ le
- le]
ja hel _ la _
le
ja hel _ la _
ja hel _ la _
le
ja hel _ la _
unis.
_ le
- le]

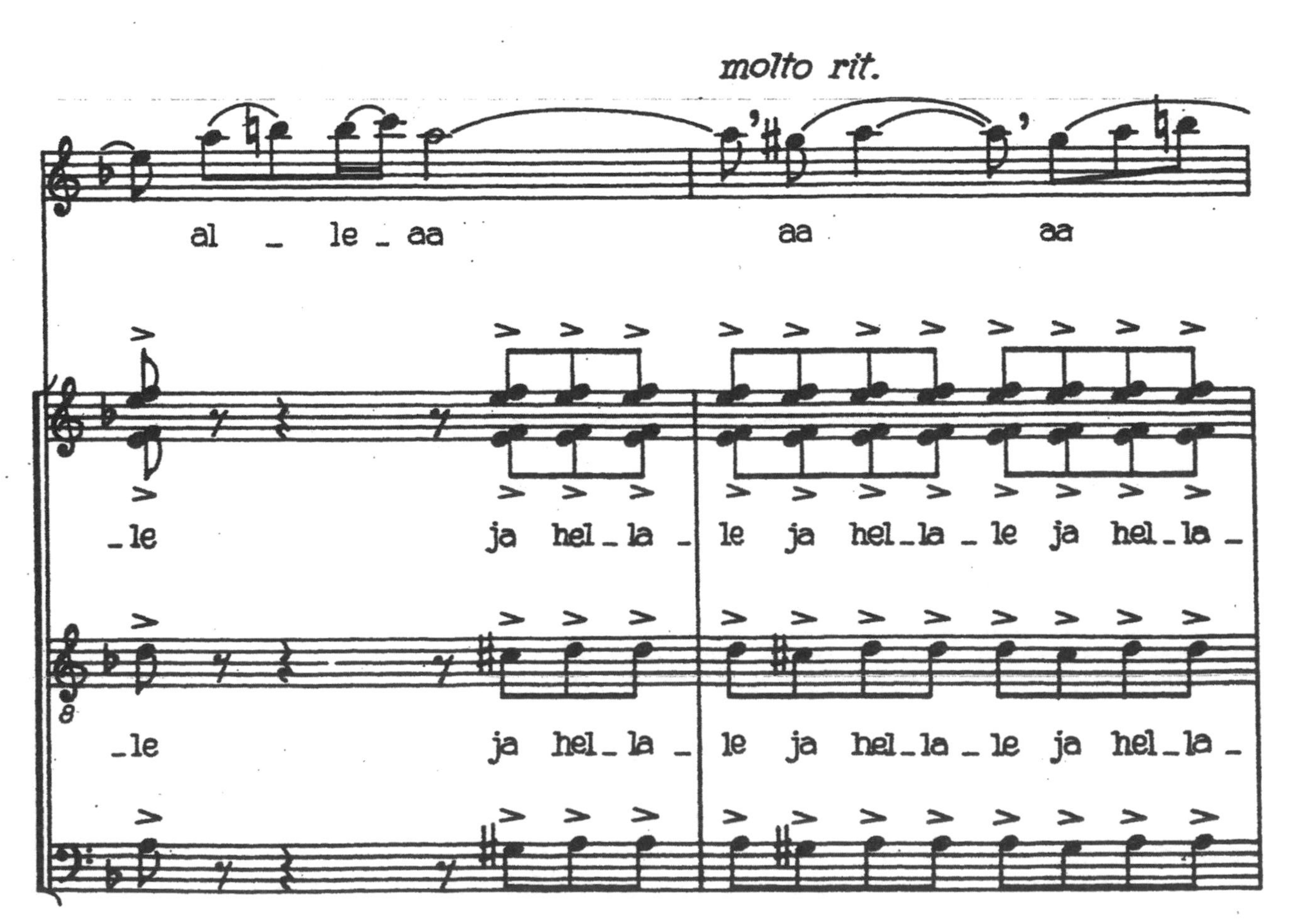
molto rit.
al _ le _ aa
aa
aa
_ le
ja hel _ la _
le ja hel _ la _ le ja hel _ la _
_ le
ja hel _ la _
le ja hel _ la _ le ja hel _ la _

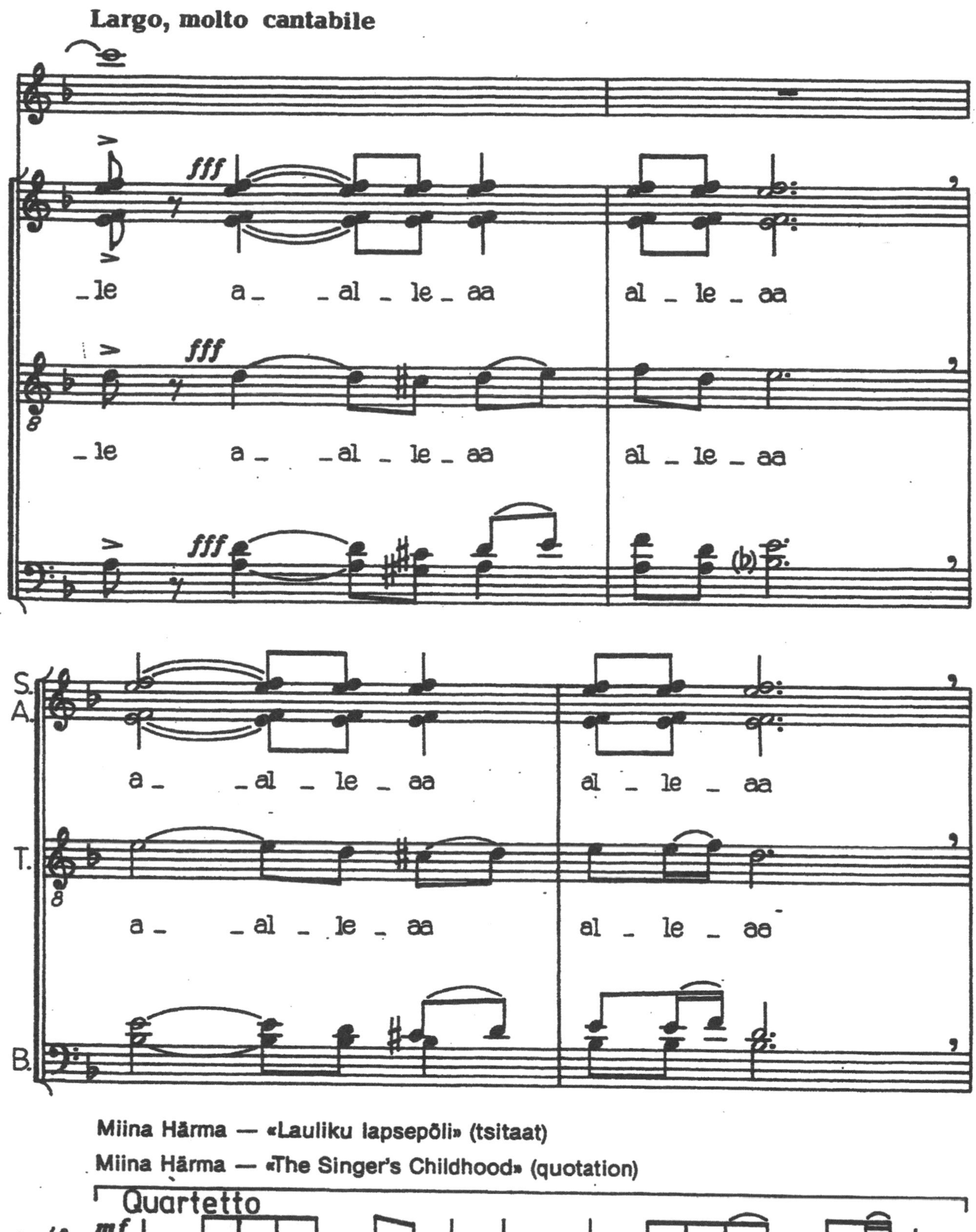

Miina Härma — «Lauliku lapsepõli» (tsitaat)
Miina Härma — «The Singer's Childhood» (quotation)

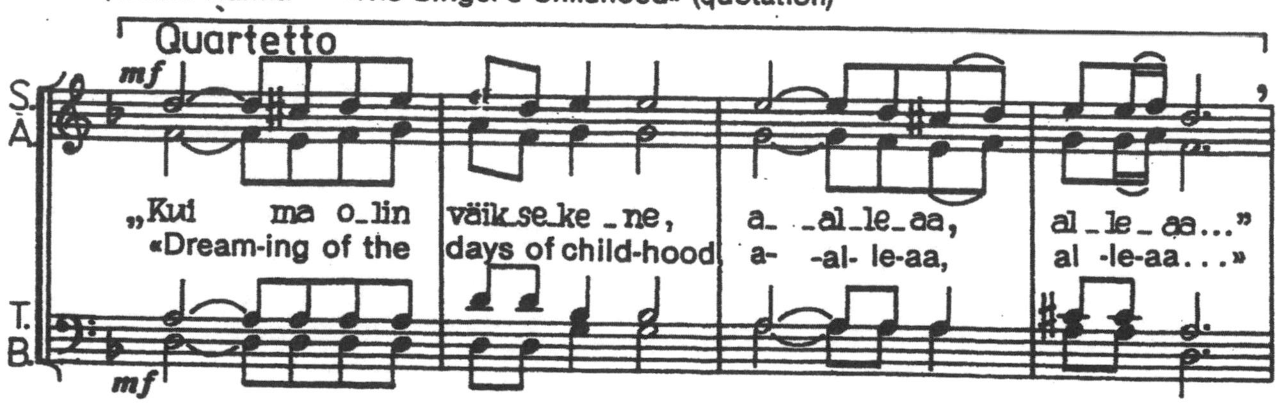

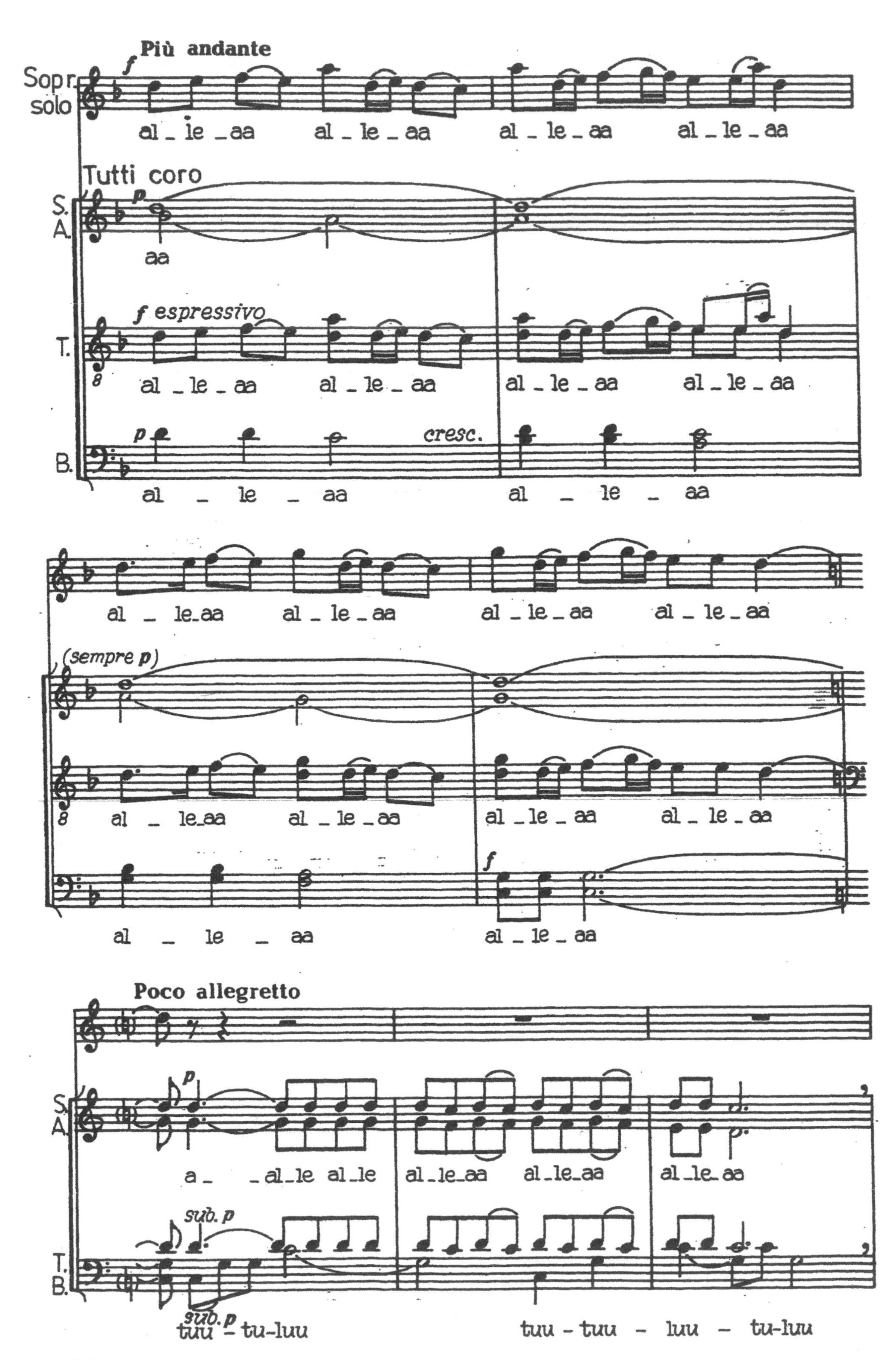
Più andante
Sopr. solo
al - le - aa al - le - aa al - le - aa al - le - aa
Tutti coro
S. A.
aa
f espressivo
T.
al - le - aa al - le - aa al - le - aa al - le - aa
cresc.
B.
al - le - aa al - le - aa
al - le-aa al - le - aa al - le - aa al - le - aa
(sempre p)
al - le-aa al - le - aa al - le - aa al - le - aa
al - le - aa al - le - aa
Poco allegretto
S. A.
a - - al-le al-le al-le-aa al-le-aa al-le-aa
sub. p
T. B.
tuu - tu-luu tuu - tuu - luu - tu-luu

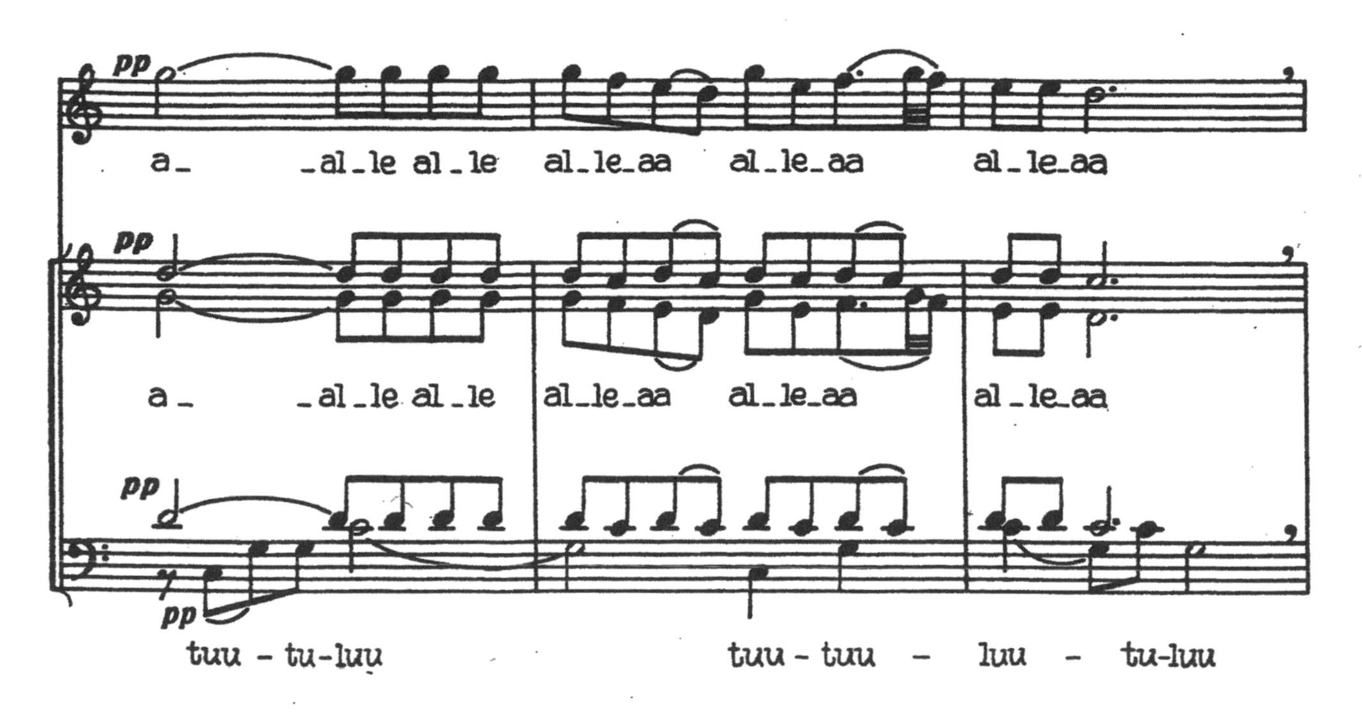
pp
a_ _al_le al_le al_le_aa al_le_aa al_le_aa
pp
a_ _al_le al_le al_le_aa al_le_aa al_le_aa
pp
pp
tuu - tu-luu tuu - tuu - luu - tu-luu

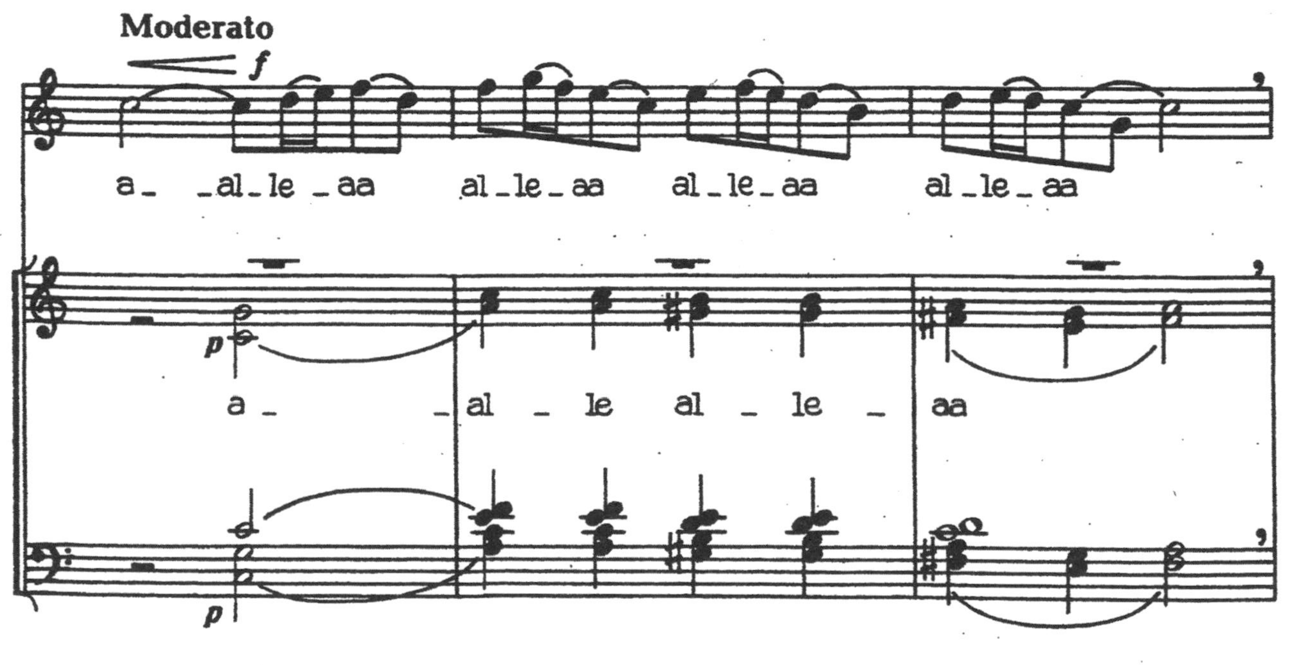
Moderato
f
a_ _al_le_aa al_le_aa al_le_aa al_le_aa
p
a_ _al _ le al _ le _ aa
p

a_ _al_le_aa al_le_aa al_le_aa al_le_aa
a_ _al _ le al _ le _ aa

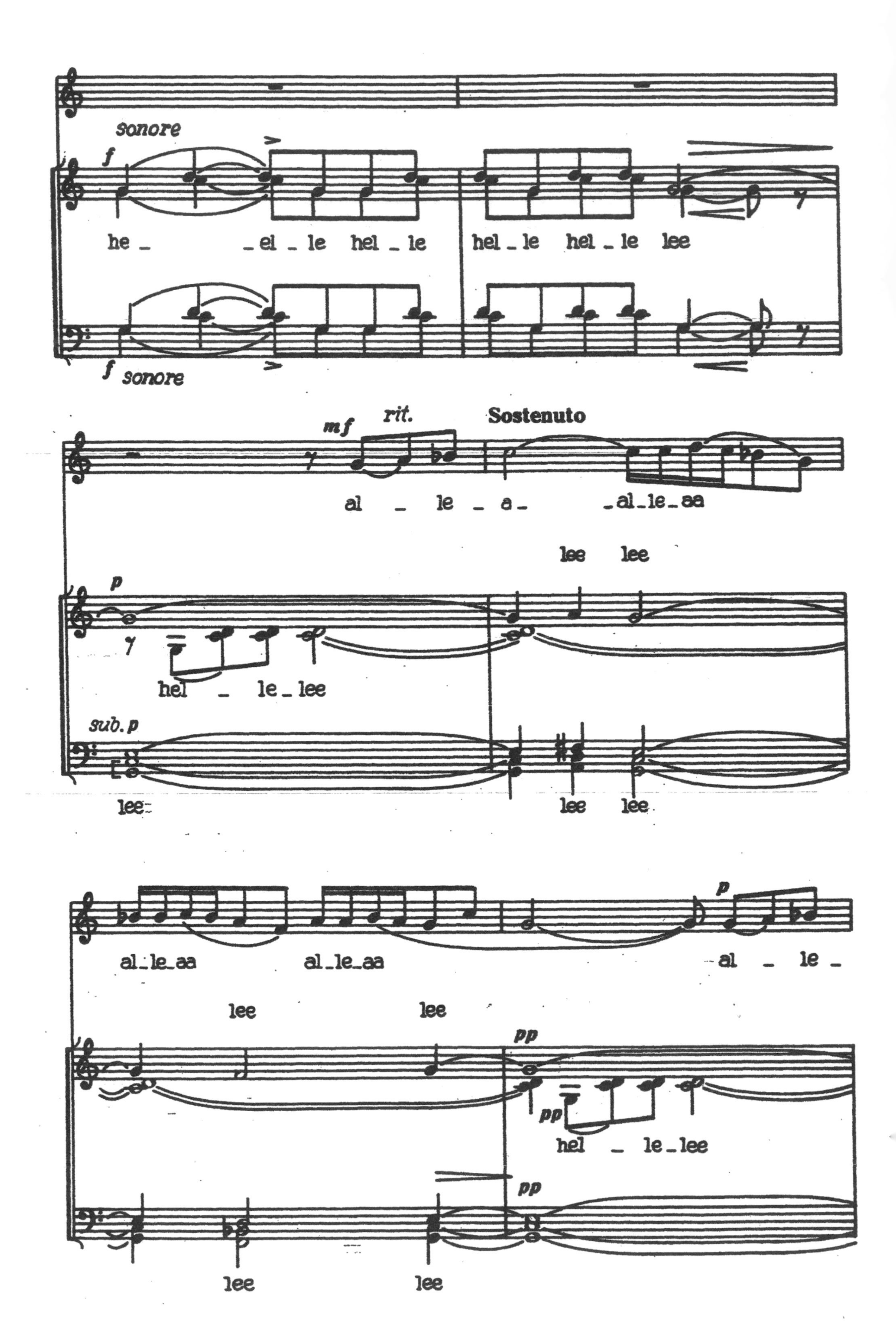
sonore
f
he _ _el _ le hel _ le hel _ le hel _ le lee
f sonore
rit.
mf
Sostenuto
al _ le _ a _ _al _ le _ aa
lee lee
p
hel _ le _ lee
sub. p
lee
lee lee
al _ le _ aa al _ le _ aa
lee lee
p
al _ le _
pp
pp
hel _ le _ lee
pp
lee lee

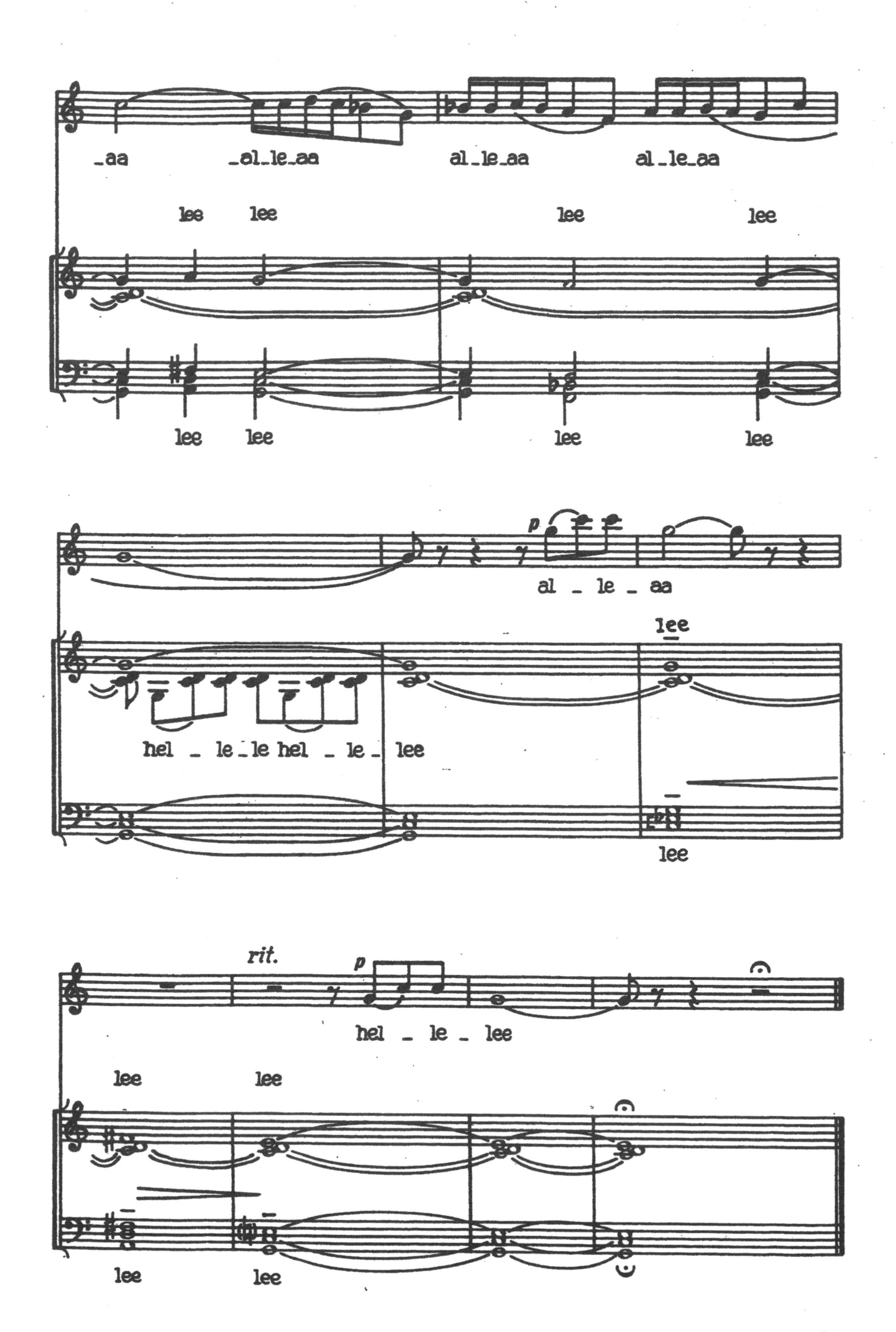

_aa _al_le_aa al_le_aa al_le_aa
lee lee lee lee
lee lee lee lee
p
al _ le _ aa
lee
hel _ le _ le hel _ le _ lee
lee
rit.
p
hel _ le _ lee
lee lee
lee lee

HELLETUSED

The Estonian word «helletus» (plural «helletused») denotes herdboys' melodious calls which were sung on certain vowels or interjections. On small ancient Estonian farmsteads it was customary to have children herd the cattle. They called out to neighbour's children and so kept in touch on woody pastures. Everybody had his or her token melodies which varied according to the time of the day, weather and mood.

As a matter of fact, the «career» of the first Estonian professional concert singer Aino Tamm (1864—1945) started on the homely pasture. Out of her token «helletused» the composer Miina Härma (1864—1941) put together the concert song Lauliku lapsepõli (Singer's Childhood) for her. In the choral version, the song gained wide popularity among Estonians and has been evoking nostalgic feeling for a hundred years now.

The first part of the present work (on «alleaa»-texts) is based namely on this song by Miina Härma.

Veljo Tormis

VELJO TORMIS

WORKS FOR MIXED CHORUS

Helletused / Childhood Memory

Jaanilaulud / St. John's Day Songs

Kalevalan alkusanat / Prologus Kalevalanus / Prologue of Kalevala

Kolm eesti mängulaulu / Three Estonian Game Songs

Laevas lauldakse / Singing Aboard Ship

Laulusild / Bridge of Song

Mõrsja hüvastijätt / Sponsa suis valedicit / Bride's Farewell

Neli eesti hällilaulu / Four Estonian Lullabies

Pärismaalase lauluke / An Aboriginal Song

Raua needmine / Curse Upon Iron

Seitseteist eesti pulmalaulu / Seventeen Estonian Wedding Songs

Sinikka laul / Sinikan laulu / Sinikka's Song

Sügismaastikud / Autumn Landscapes

Vaata, näe! / Varda là

Viru vanne / The Viru Oath

Unustatud rahvad / Forgotten peoples:

1. Liivlaste pärandus / Livonian Heritage
2. Vadja pulmalaulud / Votic Wedding Songs
3. Isuri eepos / Izhorian Epic
4. Ingerimaa õhtud / Inkerin illat / Ingrian Evenings
5. Vepsa rajad / Vepsian Paths
6. Karjala saatus / Karjalan kohtalo / Karelian Destiny

KL 78.3411

ISBN-13: 978-9517576567

DISTRIBUTED BY
HAL LEONARD
48000830

0 73999 79765 7

ISMN 979-0-55009-090-3